Aus Freude am Lesen

Nasrijah, Irak, 1989: Am Tag der letzten Abiturprüfung wird Mahdi zu einem Ausflug eingeladen. Sein Klassenkamerad Ali hat sich ein Auto ausgeliehen, und die beiden wollen das Ende der Schulzeit feiern. Doch es ist das falsche Auto, und Ali kennt die falschen Leute – die beiden werden ohne Anklage und Prozess inhaftiert.
Mahdi stehen zwei Jahre Gefängnisalltag bevor, Hunger, Folter, Grausamkeiten, Zynismus. Zum Geburtstag Saddam Husseins wird den Häftlingen eine Amnestie in Aussicht gestellt – doch dann bekommt jeder nur eine Orange.
Mahdi rettet sich in dieser Hölle durch seine Begabung zum Geschichtenerzählen. Drastisch, tragikomisch und ergreifend berichtet er aus seiner Kindheit und Jugend, besonders von der Freundschaft mit dem Taubenzüchter Sami und dem Geschichtslehrer und Literaturübersetzer Razaq.

Abbas Khider, geboren 1973 in Bagdad, floh 1996 nach einer Verurteilung aus »politischen Gründen« und nach einer zweijährigen Gefängnisstrafe aus dem Irak. Von 1996 bis 1999 hielt er sich als illegaler Flüchtling in verschiedenen Ländern auf, seit 2000 lebt er in Deutschland. Er studierte Philosophie und Literaturwissenschaft in München und Potsdam, erhielt verschiedene Stipendien und wurde mit dem Adelbert-von-Chamisso-Förderpreis geehrt. Zurzeit lebt Abbas Khider in Berlin.

Abbas Khider

Die Orangen des Präsidenten

Roman

btb

Verlagsgruppe Random House FSC-DEU-0100
Das für dieses Buch verwendete
FSC®-zertifizierte Papier *Lux Cream*
liefert Stora Enso, Finnland.

1. Auflage
Genehmigte Taschenbuchausgabe März 2013,
btb Verlag in der Verlagsgruppe Random House GmbH, München

Die Arbeit an diesem Roman wurde durch ein Stipendium des
Deutschen Literaturfonds e.V. gefördert.
Umschlaggestaltung: © semper smile, München, nach einem
Umschlagentwurf von Maja Bechert, www.majabechert.de
Umschlagmotive: © panthermedia.net / Gualtiero Boffi,
© panthermedia.net / Georgios Kollidas
Druck und Einband: CPI – Clausen & Bosse, Leck
LW · Herstellung: sc
Printed in Germany
ISBN 978-3-442-74461-9

www.btb-verlag.de
www.facebook.com/btbverlag
Besuchen Sie auch unseren LiteraturBlog www.transatlantik.de

Danksagung: Walter, dem Vater, den ich mir immer gewünscht habe. Jacob, meinem treuesten Freund und deutschen Bruder, den ich sicher schon in einem früheren Leben kannte. Ebenso Steffen, dem zukünftigen Engel oder Dichter. Susanne, die goldene Taube, die mir das Fliegen im Lebendigsein beigebracht hat. Ohne eure Hilfe und Unterstützung hätte ich es nicht geschafft, meine Texte zu dem zu machen, was sie sind.

Meine Mutter weinte, wenn sie sehr glücklich war. Sie nannte diesen Widerspruch »Glückstränen«. Mein Vater dagegen war ein überaus fröhlicher Mensch, der überhaupt nicht weinen konnte. Und ihr Kind? Ich erfand eine neue, melancholische Art des Lachens. Man könnte es als »Trauerlachen« bezeichnen. Diese Entdeckung machte ich, als mich das Regime packte und in Ketten warf.

Wann immer mehrere Gefängniswärter unsere Zelle betraten, begann das wöchentliche Todesspiel von Neuem: mit schweren Militärstiefeln getreten oder mit knochigen Fäusten und unerbittlichen Offiziersstäben geschlagen zu werden. Jedes Mal versuchte ich verzweifelt, wenigstens mein Gesicht mit den Händen zu schützen, und überließ den Rest meines Körpers den Wärtern.

Einmal war ich ganz in der Gewalt eines Wärters, den ich Charlie Chaplin nannte. Er trieb nur einige Wochen lang bei uns sein Unwesen, danach habe ich ihn nie wieder gesehen. Er war sehr klein, nur knapp über einen Meter groß, schien mir, und trug einen lustigen Zweifingerschnurrbart. Er hatte einen Offiziersstab bei sich, mit dem er gerne um uns herumtanzte und immer wieder auf uns einstach und -schlug. Wenn er einen Gefangenen verprügelte, biss er sich mit spitzen Zähnen vor Lust auf seine wulstige Zunge und schrie, dass ihm der Speichel aus den Mundwinkeln triefte: »Hiwanat – Tiere!«, und schlug weiter und weiter wie eine Maschine auf uns ein.

Chaplin malträtierte mich übel mit dem Stab, und ich krümmte mich wie üblich wimmernd vor Schmerz, Hilflosigkeit und Hass auf dem Boden. Als er kurz Pause machte, um wie ein hechelnder Hund nach Luft zu schnappen, befreite ich mein Gesicht von den schützenden Händen und warf einen schnellen Blick auf das seine. Er war erschöpft, schwitzte, und noch immer hielt er seine Zunge zwischen den Zähnen. In diesem Moment musste ich unwillkürlich an den echten Charlie Chaplin denken und konnte mich nicht länger beherrschen. Ich prustete laut los und schrie in allen Tonlagen, krümmte und gebärdete mich, als hätte ich Lachgas eingeatmet. Den Wärtern fielen vor Überraschung fast die Knüppel aus der Hand, und sie beobachteten mich wie ein Wissenschaftler ein höchst seltenes und unerklärliches Phänomen.

Einer brach schließlich das Schweigen und forderte, ich solle aufhören. Ich konnte aber nicht. Ich versuchte es, musste aber doppelt so laut und heftig wie zuvor loslachen. Während ich mich auf dem Boden wälzte, bekam ich einen Fußtritt in den Magen und einen anderen in die Nierengegend – beide ohne Wirkung und ohne dass ich sie überhaupt spürte. Das Lachen machte mich unempfindlich gegenüber dem Schmerz, gegenüber der Angst und gegenüber der Verzweiflung. »Aufhören, du Wahnsinniger!«, befahl einer. Aber ich lachte weiter.

Der falsche Charlie Chaplin raunte schließlich seinen Kollegen zu: »Ich glaube, er hat seinen Verstand verloren!« Als ich das hörte, war es ganz um mich geschehen; ich explodierte förmlich wie eine Mine. Ich zitterte am ganzen Leib, schlug wie ein protestierendes Kind mit den Händen auf den Zellenboden und strampelte dazu mit beiden Beinen. Ich hatte das Gefühl, meine Lunge wäre bereits durchlöchert, und schmeckte Blut und Schleim in meinem trockenen Mund. Immer wieder musste ich husten, und mein Kopf pochte. Meine Umgebung nahm ich nur noch verschwommen und wie entfernt wahr, da meine Augen vor Tränen regelrecht überliefen.

Die Wärter waren so verstört, dass sie nicht wussten, wie sie auf die Situation reagieren sollten, und verließen schließlich kopfschüttelnd und mit einem Gesichtsausdruck, als sei ihre gesamte Weltanschauung in Zweifel gezogen, unsere Zelle. Meine Mitgefangenen starrten mich aus ihren eingefallenen Gesichtern mit den riesigen Augen in ihren dunklen, knochigen Höhlen zutiefst befremdet an. Irgendwann hörte ich ebenso plötzlich mit dem Lachen auf, wie ich es begonnen hatte. Und ich stellte zu meiner eigenen Verwunderung fest, dass ich bei äußerst klarem Verstand und anscheinend doch nicht verrückt geworden war. Aber was war es dann? Ich habe bis heute keine Erklärung dafür gefunden …

Jetzt, mehr als ein Jahr des Schreckens nach diesem einmaligen Tag des Lachens, sitze ich in einer anderen Art von Gefängnis ein: ein Flüchtlingslager an der irakisch-kuwaitischen Grenze, im Herzen der Wüste. Ich bin umgeben von Naturgewalten: von der Sonne, die lodernd und unbarmherzig alles verbrennt, dem Wind, der in unsere Gesichter peitscht, dem Sand, der sich als dünne Kruste auf unsere Haut gelegt hat und uns so staubig wie ein Wandervolk aussehen lässt, den ausländischen Soldaten, die bis an die Zähne bewaffnet sind und misstrauisch und jederzeit schussbereit alles um sich herum beobachten, als wäre die Wüste ein Mörder. Dann sind da die vielen weißen Zelte, die wie ein schäumendes Meer die Wüste überschwemmen. Und die vielen Flüchtlinge, die wie die Sandkörner überall zu sehen sind.

Ich harre hier meines Schicksals und warte. Worauf? Worauf warte ich? Ich weiß es nicht mit Sicherheit. Auf die Zukunft? Auf Hoffnung? Auf Veränderung? Jedenfalls nicht auf Godot. Das Einzige, das zählt, ist jedoch, dass ich noch lebe. Und das ist an sich schon eine große Leistung, wenn ich an die Erlebnisse der letzten Monate denke.

In dieser aufregenden Zeit des Wandels, der Kriege, der Umbrüche, habe ich – Langeweile, unsägliche Langeweile. Flüchtlingslager sind der langweiligste Ort der Welt. Ich zähle Sandkörner, bis mir vielleicht irgendein Traumland Asyl gewährt. Wann das sein wird? Ich habe keine Ahnung, aber der Sand wird mir nicht ausgehen. Es gibt Tausende hier, die mit mir darauf warten.

Ich denke, ich sollte mich irgendwie nützlich machen, sonst schafft die Langeweile, was all die grauenvollen Abenteuer der letzten Jahre nicht vollbracht haben: mir endgültig den Verstand zu rauben. Das Beste wird sein, mir ein Heft und einen Stift zu besorgen und in die Vergangenheit zurückzukehren. Vielleicht gelingt es mir ja sogar auf diese Weise, endlich das Geheimnis meines Lachens zu ergründen …

Mahdi Hamama

Der Taubenzüchter

Eine wahre Geschichte

Taube,
wenn mein Haus verbrennt
wenn ich wieder verstoßen werde
wenn ich alles verliere
dich nehme ich mit,
Taube aus wurmstichigem Holz,
wegen des sanften Schwungs
deines einzigen ungebrochenen Flügels.

Hilde Domin

Es war am letzten Tag der Abiturprüfung. Der Tag, an dem ich jäh aus meinem gewohnten Leben gerissen wurde und den Lauf der Dinge völlig neu kennenlernen musste. Als ob ich die Welt zum ersten Mal erblickt hätte. Und alles nur wegen einer Autofahrt mit Ali, meinem Schulkameraden.

Er war ein sehr netter Kerl mit kurzen schwarzen Haaren und braunen Augen. Ein kräftiger Junge mit muskulösem Körper. Sein Vater war im Irak-Iran-Krieg verschwunden. Es wurde weder eine Leiche gefunden noch gab es eine Nachricht. Und weil Alis Vater nur als vermisst galt, hatte seine Familie von der Regierung keine so große Unterstützung erhalten wie die Familien, die einen Gefallenen beklagen mussten und einen Renault, ein Grundstück und zweitausend Dollar als Entschädigung bekamen. Alis Familie erhielt vom Staat nur einen Renault, den die Mutter verkaufte, um die Kinder ernähren zu können. Nicht lange und es fand sich nichts mehr zu essen im Kühlschrank. Seitdem arbeitete Ali als Helfer und Lehrling bei einem Automechaniker, um seine kranke Mutter und seine sechs Geschwister durchzubringen. Trotzdem besuchte er weiterhin die Schule.

Eigentlich wollte Ali nicht viel im Leben erreichen, nur eine Autowerkstatt führen. Denn alles, was mit Autos zu tun hatte, entfachte seine Leidenschaft. Oft starrte er diesen blechernen Kästen mit Rädern auf den Straßen mit sehnsüchtigen Blicken hinterher wie Männer hübschen Frauen. »Mein einziges Hobby und meine einzige Liebe«, gestand er.

Mit Ali lernte ich für die Abiturprüfung. Bei mir. Er konnte sich bei seiner Familie nicht konzentrieren, weil es dort weder

Platz noch Ruhe gab. Seine kleinen Geschwister waren sehr laut. »Lauter als alle Musikläden im Zentrum«, scherzte er. Deswegen übernachtete er fast immer bei mir.

Wir lernten täglich etwa acht Stunden. Einen Monat lang hatten wir mit allen möglichen Fächern zu tun. Es gab nichts Aufregenderes in unserem Leben als Bücher.

In dieser Zeit durfte ich mich nicht um meine Tauben kümmern, mich nicht einmal in ihrer Nähe aufhalten. »Dein Abitur!«, mahnte mein älterer Freund Sami. »Du musst mindestens einen Notendurchschnitt von siebzig Prozent haben, um an der Pädagogischen Hochschule studieren zu dürfen«, fuhr er fort. »Keine Tauben mehr. Es wird nur noch gelernt! Hast du verstanden?«

Die Prüfungszeit war sehr anstrengend. Uns blieb nur ein freier Tag zwischen zwei Prüfungen. Jeden Morgen standen wir um fünf Uhr auf, um den Stoff des Faches zu wiederholen, in dem wir die Klausur schreiben mussten. Die Schule, in der die Prüfung abgehalten wurde, lag nicht weit von unserem Viertel entfernt. Als wir am letzten Prüfungstag ankamen, ließen uns die Lehrer nicht hinein. Normalerweise begann die Prüfung um acht Uhr morgens. Bis neun Uhr warteten wir draußen vor dem Hauptportal. Ein Lehrer erklärte schließlich, die Unterlagen aus der Prüfungszentrale seien nicht angekommen, und die Klausur werde deswegen erst um dreizehn Uhr stattfinden.

Genervt kehrte ich nach Hause zurück. Vor der Haustür stieß ich auf jemanden, der wutentbrannt brüllte: »Sami! Krüppelbein! Du Arschloch! Ich bring dich um!« Einige Nachbarn bemühten sich, ihn zu beruhigen. Doch der Mann hörte nicht auf, sich die Seele aus dem Leib zu schreien. Ich kannte ihn. Er war ein Taubenzüchter wie Sami, sein Name war Karim.

Zuerst konnte ich Sami nirgends entdecken. Er war auf dem Dach, saß auf dem Boden vor dem Taubenschlag und fütterte die Vögel. Er schien das Brüllen draußen überhaupt nicht zu hören, war ganz in sich versunken. Erst als ich direkt vor ihm stand, blickte er überrascht zu mir auf und erkundigte sich sofort nach der Prüfung. Ich erzählte kurz, was geschehen war, und fragte besorgt: »Was ist denn da draußen los? Warum will dieser Verrückte dich umbringen?«

»Karim gleicht einer Trommel, außen laut und innen hohl. Nimm ihn nicht so ernst! Er ist nur ein kaputter Schwanz.«

Ich schaute Sami stumm an und wartete auf eine Erklärung.

»Der Idiot hat früher einmal eine Taube von mir gefangen und wollte sie nicht zurückgeben. Heute Morgen, kurz nachdem du weg warst, habe ich meine Tauben fliegen lassen. Plötzlich kam eine fremde Taube und mischte sich unter meinen Schwarm. Ich ließ alle auf dem Dach landen und sperrte sie mit ein. Ich wusste nicht, dass sie eine seiner Tauben war. Nun will er, dass ich sie ihm zurückgebe. Das werde ich aber bestimmt nicht tun. Auge um Auge. Und verkaufen werde ich sie auch nicht, nicht für tausend Dinar. Es ist eine grüne Taube, und die sind selten.«

Ich betrachtete sie aufmerksam. Die Farbe ihrer Federn war gelb, grau und braun gemischt, mit einem leuchtenden, wie gemalten weißen Punkt auf dem Kopf. Ein makelloser Schnabel. Ihr Jabot sah aus wie eine offene Rose. Strahlend weiß das Daunengefieder. Ihre kleinen Augen glichen zwei Granatapfelkernen, sie starrten ängstlich in die Gegend.

»Aber sie ist doch gar nicht grün«, wunderte ich mich.

»Du musst sie dir in der Sonne anschauen.«

Tatsächlich, ihre unterschiedlichen Farben, die zwischen gelb, grau, braun und weiß wechselten, verwandelten sich im Licht der Sonne in ein helles, fast schimmerndes Grün.

»Sie ist unwahrscheinlich schön.«

Sami gebärdete sich wirklich wie ein Kind, das sich auf ein neues Spiel freut. Obwohl ich gern die grüne Taube noch näher betrachtet hätte, wandte ich mich von ihr und Sami ab und ging ins Wohnzimmer, um noch einmal kurz den Prüfungsstoff für den Nachmittag durchzugehen.

Die Prüfung war um fünfzehn Uhr zu Ende. Ich war wirklich sehr erleichtert und wartete draußen auf Ali. Der verließ als einer der letzten die Prüfungsräume.

»War's schwer?«, fragte ich.

»Denk jetzt nicht daran! Nun müssen wir feiern. Die Freiheit und die Ferien. Oder die Universität, wenn wir bestanden haben.«

»Wohin fahren wir?«

»Nach Zikkurat Ur. Warte hier!«

Er ging zum Schulparkplatz, stieg in ein Auto und hielt dann direkt neben mir. »Steig ein!«, schmunzelte er gönnerhaft.

»Woher hast du das?«

»Von einem Freund ausgeliehen, um heute feiern zu können.«

Es war ein kleiner roter Mitsubishi. Ich stieg ein, und Ali brauste sofort los. Ich schaltete den Rekorder ein und ließ die Musik laut spielen, bis wir direkt vor den Überresten der alten Stadt Ur hielten.

Ein paar Besucher schlenderten in Richtung der Ruinen. Vor der Zikkurat-Treppe standen zwei Männer, die uns zuwinkten. Ali sagte, die beiden seien seine Freunde. Wir stiegen aus. Die zwei Männer kamen auf uns zu und begrüßten uns mit Handschlag. Plötzlich hörte ich laute Schreie: »Keine Bewegung!«

Erstes Kapitel

Untersuchungshaft

1989

Ein Haufen uniformierter, bewaffneter Männer und ein paar in Zivil Gekleidete kreisten Ali, seine beiden Freunde und mich ein, richteten ihre Waffen auf uns und brüllten: »Polizei!« Einer der Zivilen stand direkt vor mir und schlug mir völlig unerwartet mit seiner Pistole auf den Kopf, sodass sich die Erde wie ein Karussell um mich herum drehte. Ich schwankte. Der Mann umklammerte meinen Oberkörper, drückte mich nieder und presste mir ein Knie gegen den Hals. »Keine Bewegung!« Schließlich drehte er mir die Hände auf den Rücken und legte mir Handschellen an.

Völlig überrumpelt lag ich auf dem Boden. Der Zivile steckte seine Hand in meine Tasche und holte meinen Geldbeutel heraus. Dann half er mir, mich aufzurappeln und begleitete mich zu einem Auto, das neben ein paar anderen hinter der Treppe des Tempelturms geparkt war.

Der Mann am Steuer fuhr scharf an, und das losrasende Auto zog eine dichte Staubwolke hinter sich her. Ich drehte mich um und sah sechs oder sieben Autos hinter uns. Ein Uniformierter saß neben mir auf dem Rücksitz. Der andere steuerte das Auto, und der Zivile saß neben ihm.

»Darf ich fragen, was los ist?«, fragte ich.

Der neben mir drückte mit der Hand meinen Kopf nieder, schimpfte grob »Halt's Maul!« und verband meine Augen mit einem Tuch.

Die Welt war ausgeknipst. Pulsierende Wellen in meinen Augenhöhlen. Ein komisches Gefühl, gefesselt zu sein. Polizei? Wieso?

Die Polizisten schalteten Musik ein. Die sanfte Stimme der

libanesischen Sängerin Fairuz drang an mein Ohr: »Ich liebe dich im Sommer. Ich liebe dich im Winter …«

Draußen tobte der übliche Nachmittagslärm der Stadt, der sich mit menschlichen Stimmen vermischte, sobald das Auto irgendwo anhielt. Kurze Zeit später vernahm ich das Geräusch eines starken Windes, der heftig an das Autofenster schlug. Nach einer Weile war nichts mehr zu hören außer der Musik. Das Auto rollte einige Minuten lang sehr langsam und blieb dann unvermittelt stehen.

Ich hörte, wie die Wagentüren aufgerissen wurden, und die Schritte der Polizisten, die ausgestiegen waren. Einer griff nach meinem Arm: »Beweg dich!«, schnarrte er. Ich stieg aus und hörte die vielen Schritte um mich herum, das stärker gewordene Klopfen meines Herzens. Wir marschierten los. Nach ungefähr dreihundert Metern das Knarren einer Tür. Noch einige Schritte. Dann durfte ich mich auf einen Stuhl setzen. Die Schritte entfernten sich. Ich hörte gar nichts mehr.

Es war kalt. Seltsame Geräusche nebenan. Sie näherten sich. Ein flüsterndes Pfeifen in meinen Ohren. Es kam näher und entfernte sich wieder. Dann nichts mehr. Stille. Wieder ein Pfeifen. Ob hier einer mit mir spielte? Stille.

Fragen schwirrten durch meinen Kopf. Was ist los, verdammt noch mal?! Warum? Ich konnte mich nicht konzentrieren. Mich an nichts Konkretes erinnern. Ich fühlte aber die Angst in mir, die wie Sandkörner in meinem leeren Inneren durcheinanderwirbelte. Ich wusste nicht genau, wie lange ich dasaß. Fünf Minuten oder eine Viertelstunde? Es fühlte sich an wie eine Ewigkeit.

Plötzlich ein Krach. Eine Tür war zugeschlagen worden. Dann eine andere Tür, näher als die erste. Schritte näherten sich. Einer legte die Hand auf meine Schulter. »Steh auf!« Ich ging einige wenige Schritte. Der Bewacher klopfte an eine Tür. »Komm rein!«, sagte einer. Wieder einige Schritte. Der Begleiter salutierte: »Zu Befehl!« Dann flüsterte er mir ins Ohr: »Setz dich!«

Noch einige Sekunden Lautlosigkeit. Dann hörte ich leise Geräusche. Irgendjemand blätterte vermutlich in einem Buch oder in einer Zeitung. Nach mehr als einer Minute ertönte eine sehr harte, kräftige Stimme: »Bist du Mahdi Muhsin?«

»Ja. Mit wem spreche ich?«

»Antworte auf die Frage! Bist du es?«

»Ja. Bin ich.«

»Wie alt bist du?«

»Achtzehn.«

»Beruf?«

»Schüler.«

»Wie heißt dein Vater?«

»Muhsin Hussein.«

»Der Beruf deines Vaters?«

»Geografielehrer.«

»Und wie heißt die Mutter?«

»Haiat Mozan.«

»Wo leben deine Eltern?«

»Sie sind tot.«

»Wo bist du geboren?«

»In Babylon. Hilla.«

»Seit wann wohnst du in Nasrijah?«

»Über ein Jahr.«

»Bei wem?«

»Bei meinem Onkel.«

»Habt ihr in der Familie einen, der im Gefängnis war?«

»Nein.«

»Also, ich rate dir etwas. Es gibt eine Redewendung: ›Die Rettung liegt in der Ehrlichkeit.‹ Wenn du ehrlich bist, bist du gerettet.« Die Stimme näherte sich meinem Gesicht. Ich bemerkte den Gestank von Rauch. »Junge! Wenn du lügst, dann werde ich dir das Leben zur Hölle machen.«

»Ich sag Ihnen alles, was Sie wollen.«

»Ich will aber nicht, dass du uns sagst, was wir wollen, sondern nur die Wahrheit. Mehr will ich von dir nicht hören.«

Der Mann schwieg eine Weile. Dann fragte er: »Möchtest du Tee, Kaffee oder Wasser?«

»Wasser, bitte.«

Mir wurden die Handschellen geöffnet und das Tuch abgenommen. Das grelle Licht der Glühbirne blendete mich. Ich sah einen großen Raum. Ohne Fenster. Weiße Wände. Dann erkannte ich einen etwa fünfzigjährigen Mann, der mir gegenübersaß. Weiße Haut, graue Haare und ein schwarzer Anzug. Zwischen uns nur ein weißer Tisch. Darauf ein großer blauer Ordner, in dem der Grauhaarige ruhig blätterte. Außerdem noch eine Flasche Wasser und zwei Gläser. Hinter dem Grauhaarigen hing ein Bild des Präsidenten mit Zigarre an der Wand. Daneben ein Bild, auf dem dieser Grauhaarige und der Präsident nebeneinanderstanden und direkt in die Kamera schauten, mit geheimnisvollem, ernstem Lächeln. Rechts neben dem Bild ein weißer, geschlossener Schrank. An der linken Seite die Nationalflagge. Ich drehte den Kopf nach hinten und sah vier weitere Männer auf Stühlen neben der Tür, die ebenfalls schwarze Anzüge trugen und mich mit durchdringenden Augen musterten. Daneben standen zwei Uniformierte, die Augen geradeaus gerichtet. Ein weiterer Uniformierter, dessen Gesicht ich nicht sehen konnte, stand hinter mir. Als ich mich umdrehte, schlug er mir mit der Hand auf den Kopf und drehte ihn mir nach vorne. Der Grauhaarige klappte den Ordner zu, schüttete Wasser ins Glas und stellte es vor mir auf den Tisch.

»Nun, erzähl!«

»Was?«

»Alles, was du weißt.«

»Was wollen Sie wissen? Ich kann Ihnen alles sagen, was Sie wollen. Aber was?«

»Wer ist dein Führer? Und wer war mit dir in eurer Organisation? Was sind eure Ziele?«, fragte der Grauhaarige.

»Welche Organisation?«

Wieder ein Schlag von hinten. Der Grauhaarige gab mit der Hand ein Zeichen, dass der Uniformierte gehen solle. Er öffnete den Ordner, blätterte noch einmal darin, schaute mir ins Gesicht und grinste. »Du hast gesagt, du bist bereit, uns alles zu sagen.«

»Ja, hab ich gesagt, aber Sie wollen die Wahrheit. Ich bin niemals in irgendeiner Organisation gewesen.«

»Ach so, und das Auto? Ali und die anderen?«

»Ich kenne nur Ali.«

»Und du arbeitest mit ihm?«

»Nein. Ich schwöre es. Wir sind nur Nachbarn und in derselben Klasse.«

»Und das Auto?«

»Es gehört seinem Freund.«

»Wem?«

»Ich kenne ihn nicht. Wir haben heute die letzte Abiturprüfung gehabt. Und Ali wollte das mit mir feiern. Deswegen hat Ali das Auto von seinem Freund ausgeliehen. Mehr nicht.«

»Und du willst, dass ich das glaube?«

»Ja.«

Der Grauhaarige schaute mir ins Gesicht. Seine tiefschwarzen Augen glänzten merkwürdig. »Ich gehe jetzt und kehre in ein paar Minuten zurück. Überlege es dir gut!«

Er stand auf. Alle Anwesenden salutierten. Er schritt langsam durch den Raum. Ein kleiner Mann mit großem Bauch. Er öffnete die Tür und verschwand.

Schweigen.

Ich überlegte, wie ich mich verhalten sollte. Was für eine Scheiße! Ich verfluche dich, Ali! Große Angst überkam mich. Ich fror, als säße ich in einem Kühlschrank. Mein Mund war plötzlich ausgetrocknet. Ich versuchte, ruhig zu bleiben, aber ich konnte nicht. Ich zitterte. Ich fror noch mehr. Mein Mund wurde noch trockener. Mein Hals begann zu brennen.

Einer der vier zivil gekleideten Anwesenden brach das Schweigen, stand auf und setzte sich auf den Stuhl mir gegenüber. Sein Körper war durchtrainiert, fast wie der eines Boxers. Dunkelblaue Augen. Blonde Haare. Große Hände, wie bei einem Bären.

»Wie lange brauchst du, um es dir zu überlegen?«, fragte er mürrisch.

»Ich …«

»Hör mal. Ich glaube, du bist ein guter Kerl. Wir wollen dir nicht wehtun. Ich gebe dir einen Rat. Gib es zu! Welche Organisation?«

»Was?«

»Die Organisation, habe ich gefragt.«

»Welche?«

»Welche? Die Organisation der verdorbenen Fotze deiner Mutter.«

Die Augen des Blonden wurden halb weiß, halb hellrot. Er starrte mich wütend an. »Hör mal, du Arschloch! Wenn du es nicht zugibst, dann sorge ich dafür, dass dich alle Wärter und Gefangenen hier ficken. Sag endlich was! Hurensohn!«

»Ich schwöre, ich habe nichts getan. Ich schwöre bei Gott, beim Propheten.«

»Ich scheiße auf dich und deinen Gott und deinen Propheten. Soldaten!«

»Ich habe nichts gemacht. Ich schwöre!«

»Halt's Maul!«, schrie er und schlug mir mit aller Kraft ins Gesicht. Ich kippte mitsamt dem Stuhl um. Die drei Uniformierten sprangen schnell auf mich zu und fesselten mir die Hände auf dem Rücken. Einer ging zum Schrank, holte ein schwarzes Gerät heraus, das wie ein Radio aussah, und stellte es auf den Tisch. Dann holte er einen Koffer, legte ihn gleichfalls darauf und klappte ihn auf. Der wütende Blonde nahm vier Stöcke aus dem Koffer und kniete sich vor mich hin. »Such dir einen aus!

Welchen hättest du denn gerne?!« Er deutete zynisch grinsend auf ein Bündel Stöcke.

»Bitte nicht! Ich habe nichts getan.«

»Auswählen!«, drängte er und verpasste mir einen Stoß auf die Nase. »Auswählen!«

Ich schaute die Stöcke an und wählte weinend den dünnen aus. »Den da.«

Der Blonde lachte höhnisch: »Da hast du dir aber den falschen ausgesucht. Dünne Stöcke sind sehr schmerzhaft. Sag bloß, du weißt das nicht! Nächstes Mal musst du den dicken nehmen. Trottel!« Er stand abrupt auf. »Hängen!«

Die Uniformierten zogen den Tisch in die Mitte des Zimmers. Einer verband mir die Augen mit einem Tuch. Ein Zitteranfall durchlief meinen Körper: Hände, Füße und sogar den Hintern. Ich konnte mich nicht stillhalten, als bebte die Erde unter meinen Füßen. Einer befahl mir aufzustehen. Ein zweiter umschlang meinen Oberkörper mit den Armen. Der Dritte packte meine Unterschenkel, und gemeinsam hievten sie mich auf den Tisch. Wieder ein anderer griff nach den Handschellen, riss sie mitsamt meinen Armen hoch und hängte sie irgendwo ein. Sie ließen mich los und ich baumelte wie der Klöppel einer Glocke hin und her.

»Oh Gott!«, stöhnte ich.

Ich fühlte mich wie ein Schaf in der Metzgerei. Die Arme, dachte ich, würden bald abreißen. Ein stechender Schmerz. Ich konnte nur mühsam atmen. Mein Körper fühlte sich unvorstellbar schwer an. Ich schrie aus Leibeskräften: »Bitte, genug! In Gottes Namen! Genug!« Der Schmerz wurde von Sekunde zu Sekunde stärker.

»Und? Kannst du fliegen?«, traf mich die zynische Stimme des Blonden. »Ab heute wirst du den Tag hassen, an dem du geboren worden bist.« Dann traf mich überraschend ein Schlag auf die Fußsohle. Ich schrie auf. Dann auf mein Bein. Ich schrie wieder laut. Dann einer auf den Rücken. Ein Schlag nach dem anderen. Alles in mir brannte. Mit jedem Schlag zitterte ich noch mehr, und der Schmerz in den Schultern wurde mit jeder Bewegung unerträglicher. Der Blonde schlug weiter. »Und, Mahdi? Willst du uns jetzt alles erzählen? Aber jetzt wollen wir nicht mehr. Jetzt ist es zu spät.«

Nach einer Weile hörte er mit dem Schlagen auf. Mein ganzer Körper brannte, als wäre Glut unter meiner Haut. »Jetzt der Strom!«, kommandierte der Blonde. Ich fühlte, wie er irgendetwas an meinen beiden großen Zehen befestigte. Einige Sekunden später dachte ich, die Haut spränge von meinem Leib ab, als hätte mich ein Blitz getroffen. Ich zitterte wie ein Palmenblatt im Wüstensturm. Wieder schrie ich laut auf. Mehrere Sekunden lang. Dann ließ das Zittern nach. Und noch ein Stromstoß. Gefolgt von heftigem Schütteln. Ich brüllte und dachte, meine Muskeln fielen von meinen Knochen ab. Ohne es zu wollen, pinkelte ich in die Hose. Dann noch mal eine ganze Reihe von Stromstößen. Länger als vorher. »Die Organisation! Wer ist dein Führer?« Der Blonde gab nicht nach. Plötzlich hörte ich eine andere Stimme: »Lasst ihn runter! Jalla!«

Vier Hände holten mich zurück auf den Boden und befreiten mich von meinen Fesseln. Ich atmete schwer. Die Erde drehte sich in meinem Kopf. Dunkle und helle Wolken vernebelten mir die Augen. Nach einer Weile schaute ich mich im Zimmer um. Der Blonde und die anderen saßen auf ihren Stühlen. Die Uniformierten standen daneben. Der Grauhaarige sah mir gelassen ins Gesicht. Mit ernster Miene bemerkte er: »Ich war nur ein paar Minuten weg, und sie haben dich so zugerichtet. Was machen sie erst mit dir, wenn ich länger nicht da bin?« Nach einer kleinen Pause öffnete er den Ordner. »Sag mir jetzt die Wahrheit! Ich glaube, wenn ich dich hier mit ihnen allein lasse, werden sie dich lebendig begraben.«

»Ich schwöre. Ich habe keine Ahnung, worum es geht.«

»Du willst leiden? Wenn du nicht gestehst, dann …«

»Ich bin unschuldig!«

»Weißt du, von wie vielen ich diesen Satz täglich höre? Jeder behauptet, er sei unschuldig. Wer macht dann die ganze Scheiße im Land!?«

»Ich nicht.«

Lächelnd sagte er: »Wir lassen das heute. Morgen machen wir weiter. Überleg es dir gut!«

Ich wurde erneut gefesselt, und mit der Augenbinde verdunkelte sich die Welt wieder. Einer begleitete mich nach draußen. Ich konnte mich nicht richtig bewegen, konnte kaum laufen. Alles schmerzte, und mir war eiskalt. Mehrere Male stieß ich irgendwo gegen eine Tür oder eine Wand. Mein Begleiter schlug mir ins Gesicht. »Beweg dich richtig, du Idiot!« Er schleppte mich gewaltsam mit. Einige Meter weiter blieb er stehen. Eine Tür wurde mit lautem Knarren geöffnet. Durchdringender Gestank. Treppenstufen. Wieder ein paar Meter. Eine zweite Tür. Noch einmal einige Meter. Wieder eine Tür. Man befreite mich von der Augenbinde und den Handschellen und schob mich in einen Raum. Ich hörte, wie die Tür hinter mir abgeschlossen wurde. Ich ließ mich an einer Wand hinab zu Boden gleiten und wollte meine Füße ausstrecken. Doch die Zelle war zu eng. Einen guten Meter im Quadrat. Nichts außer Wänden, einem blauen Eimer, einem Plastikbecher, einer Glühbirne und einer khakifarbenen Decke. Die Tür hatte ein kleines Loch, so groß wie eine Zitrone. Ich schaute hindurch. Gegenüber sah ich nur die gelbe Tür einer anderen Zelle.

* * *

Meine Lieblingstauben, der Schwarze Ägypter und die Grüne Taube, fliegen davon, schlagen mit den Flügeln und setzen sich an die Spitze des Schwarms. Alle anderen Tauben, fast fünfzig an der Zahl, folgen ihnen und ziehen einen Kreis, genau über dem

Haus. Dann sausen sie über die Al-Habubi-Statue, die Hauptstraße entlang, vorbei an meiner Schule, zum Al-Iskan-Viertel. Von dort aus lässt Karim seine Tauben aufsteigen. Seine Warzentaube, die man den Weißen Tänzer nennt, klatscht vor dreißig Tauben mit den Flügeln, schlägt einen Purzelbaum in der Luft, ein, zwei, drei Mal, und hebt die anderen Tauben hinter sich mit nach oben. Sie kreisen um Karims Haus, dann fliegen sie auf meine Tauben zu. Die beiden Schwärme vermischen sich. Der große Weiße Tänzer schaukelt neben dem Schwarzen Ägypter. Sie lassen die anderen Tauben hinter sich und steigen noch höher. Die Grüne Taube hinterher. Der Tänzer breitet seine Flügel aus, geht nieder und nähert sich ihr. Er wiederholt seinen Tanz. Der Ägypter kommt an die beiden heran und bleibt über ihnen. Er öffnet seine großen Flügel, schwebt ruhig wie ein Adler. Dann stößt er seine Flügel kräftig zusammen. Die Grüne wendet sich ihm zu. Der Ägypter lässt sich nach unten fallen. Die Grüne hinterher, bis sich die Schwärme wieder mischen, die immer noch über Karims Haus fliegen. Ich stehe auf dem Dach des Hauses, schaue dem Schauspiel zu und lasse noch ein paar meiner Tauben losfliegen. Meine Tauben, immer noch über Karims Haus, bemerken das. Sie ziehen langsam aus dem Al-Iskan-Viertel ab und bewegen sich Richtung Al-Habubi-Platz. Karim versucht seine Tauben niedriger kreisen zu lassen, indem er weitere Tauben als Lockvögel auf die Dachmauer wirft. Schließlich wirft er auch noch Futter auf den Boden. Die Schwärme gleiten mehrmals über das Haus. Dann stürzen sich einige seiner Tauben vom Himmel auf das Dach hinab. Aber der Ägypter klatscht laut und heftig, fliegt hoch und zieht seine Taubengruppe hinter sich her. Karims Tauben dagegen landen. Meine starten durch und ziehen in Richtung des Hauses davon. Außer der Grünen Taube. Sie bleibt über Karims Haus und kreist mehrere Male darum. Karim lässt den Tänzer noch einmal aufsteigen. Die Grüne aber verlässt das Viertel und fliegt auf den Vogelbasar zu.

Ich wachte auf. Schritte näherten sich. »Essen«, rief eine Stimme. »Aufstehen!« Die Tür der Zelle wurde geöffnet. Ein kalter Wind zog durch den trostlosen Raum. Ein Wärter warf ein Stück Brot auf den Boden. Dann wurde die Tür wieder zugesperrt.

Ich nahm den Brotfladen und aß ihn. Ich fror, griff nach der stinkenden Decke, hüllte mich darin ein. Überall Schmerzen, hauptsächlich in den Schultern. Die Stille dröhnte in meinen Ohren. Aber ich hörte noch etwas. Ein Summen. Es kam von der Glühbirne im Eck. Ich las einen Satz über der Tür, mit großen schwarzen Buchstaben geschrieben. Den hatte ich schon von dem Grauhaarigen gehört: »Die Rettung liegt in der Ehrlichkeit.« Ich betrachtete die Wände eingehender: überall Namen, Daten, Sprüche. Malereien, von der Feuchtigkeit verblasst – bedrohliche Fresken.

Ich stellte mich vor den Eimer und pinkelte hinein. Setzte mich wieder, wickelte die Decke fester um mich und schloss die Augen. Nach einiger Zeit bemerkte ich, dass sich unter meinen Kleidern etwas regte und mich stach. Überall, unter den Armen und an den Schenkeln. Ich kratzte mich und warf die Decke von mir. Ich stand auf, zog Hose samt Unterhose aus und inspizierte sie. Dabei entdeckte ich eine Wanze. Ich packte sie und drückte fest zu. Blut klebte an meinen Fingern. Ich zog mich wieder an. Aber noch immer bewegte sich etwas in meinen Armbeugen.

Sonderbare Kreaturen grinsen mich bösartig an. Einige kommen aus der Wand oder aus dem Boden heraus. Sie haben keine Gesichter, aber schwarze Gewänder und lange Fingernägel wie Dolche. Einer springt auf mich und schreit. Plötzlich ist Ali da. Er geht ins Schlafzimmer. Ich ihm nach. Er verschwindet spurlos. Ich suche nach ihm unter dem Bett und im Kleiderschrank, aber ich kann ihn einfach nicht finden. Alles beginnt langsam zu verschwinden. Der Tisch, die Stühle, der Teppich und der Fernseher. Plötzlich ist das Zimmer weg. Nebel zieht auf. Ich fliege durch die

Luft. Mir wird schwindlig. Ich falle auf den Boden. Der Schrei ertönt wieder. Verstummt. Und beginnt abermals.

Ich öffnete die Augen. Ich befand mich immer noch in der Zelle. Das Schreien kam von draußen. Wurde da jemand gefoltert? Oh Gott, ich kann es nicht mehr ertragen. Ist es schon Nacht? Wie kann ich das in diesem verdammten Loch wissen! Nur das Licht der Glühbirne. Und wo ist Ali jetzt? Was hatte er bloß getan? Der Schrei wurde lauter. Ich hielt mir die Ohren zu und schloss die Augen.

Sami ist wieder da. Früh am Morgen im Vogelbasar, der noch leer ist. Wir sind allein und sprechen kein Wort miteinander, lachen nur die ganze Zeit. Eine Taube flattert aus einer Ecke auf. Sami hält meine Hand fest und pfeift gellend. Dann Schritte. Ein schnarrender Befehl: »Steh auf!« Sami will davonlaufen. Wir rennen auf die leere Basarstraße. Der Ägypter fliegt über uns. Die Geräusche werden immer lauter. Sami lässt meine Hand los und verschwindet.

Jemand packte meinen Arm und brüllte: »Beweg dich!«

Ich wollte zurück zu Sami. Aber der Mann schleppte mich weg. Wieder Augenbinde und Handschellen.

Die Stimme des Blonden schallte in meinen Ohren: »Und? Hast du es dir gut überlegt?«

»Ja.«

»Lass hören!«

»Wenn Sie einen Beweis haben, dass ich in einer Organisation war, bin ich bereit, alle Namen der Mitglieder zu nennen.«

»Was heißt das?«

»Ich war niemals im Leben Mitglied in einer Organisation.«

Ein Schlag ins Gesicht überraschte mich. Ich stürzte vornüber zu Boden. Noch bevor ich mich bewegen oder gar umdrehen konnte, traten mehrere Füße auf mich ein. »Gib es endlich zu, du Arschloch!« Überall trafen mich Tritte. Hauptsächlich gegen die Beine, die Schenkel und den Rücken. Ich schrie und stöhnte.

»Und? Willst du noch immer nicht reden?« Noch ein Fußtritt.

»Ich schwöre, ich habe nichts getan.«

»Und dein Name? Warum nennt man dich nicht Mahdi Muhsin, sondern Mahdi Hamama – Mahdi Taube? Das ist doch dein Spitzname in der Partei!«

»Welche Partei? Ich bin Taubenzüchter.«

»Red endlich!«

»Ich züchte Tauben. Sonst habe ich nichts getan.«

Die Schläge endeten abrupt. Dann die Stimme des Grauhaarigen, nüchtern und vollkommen emotionslos. »Nimm ihm die Augenbinde ab und bring Nummer sechs her!« Die Tür wurde geöffnet. Nummer sechs stand im Türrahmen. Es war Ali. Er sah elend aus. Schmutzige Kleider. Blaue Flecken im Gesicht. Die Hände hinter dem Rücken gefesselt. Die Augen mit einem schwarzen Tuch verbunden. Er konnte kaum stehen. Ich bemerkte, dass er überall zitterte.

»Wusste Mahdi von eurer Organisation?«, fragte ihn der Grauhaarige.

»Nein. Er hat keine Ahnung!«

»Wenn du lügst, bringe ich dich um.«

»Ich schwöre. Ich bin bereit, alles zu tun, was Sie von mir verlangen, Herr.«

»Ist er Mitglied?«

»Er gehört nicht zu uns.«

Der Grauhaarige gab ein Handzeichen, ihn wegzuschaffen. Ali stolperte aus dem Raum. Seitdem habe ich ihn nie wieder gesehen.

Zweites Kapitel

Babylon

1980–1983

Am Anfang war nicht das Wort, sondern die Spucke meiner Mutter im Gesicht meines Vaters. Das war der Anfang meiner Familie.

Mein Vater Muhsin kam aus seiner Heimatstadt Nasrijah als Lehrer nach Babylon und verbrachte danach wegen meiner Mutter Haiat den Rest seines Lebens in dieser Stadt. Er lernte sie nicht bei der Arbeit kennen, sondern traf sie im Basar. Als er sie sah, sprach er sie sofort an. Sie antwortete nicht und ging weiter. Er verfolgte sie durch die engen Gänge des großen Basars. Plötzlich blieb sie stehen, drehte sich um und fragte spöttisch: »Warum verfolgst du mich?« Darauf entgegnete er: »Ich möchte dich kennenlernen.« Sie schaute ihm empört in die Augen. »Kein Interesse!« Drehte sich um und ließ ihn stehen. »Blöde Kuh!«, knurrte er und drehte sich ebenfalls um. Daraufhin blieb Haiat aber stehen, kehrte zu ihm zurück und legte ihre Hand auf seine Schulter. Er schaute sie erstaunt an. Unvermittelt spuckte sie ihm ins Gesicht. Er war sprachlos und starr wie eine Salzsäule. Und sie? Sie ging einfach weiter. Seitdem war Muhsin in Haiat verliebt.

»Wegen der Spucke?« Meine Mutter lachte wie ein Kind, wenn ich ihr diese Frage stellte.

Noch am selben Tag verfolgte er sie heimlich, erkundigte sich anschließend bei den Nachbarn nach ihrem Ruf und dem ihrer Familie. Eine Woche nach der Spucke erschien Muhsin in Begleitung einiger Männer bei Haiats Familie und bat um ihre Hand. Sie nahm sein Angebot an, und knapp ein Jahr nach der Spucke tauchte ich auf. Die Frucht dieser einzigartigen Liebe.

Ich bin also ein sumerisch-babylonisches Kind. Ich lebte in den heiligen Stätten der Menschheitsgeschichte, in Babylon und in Ur. Und das nicht etwa Tausende von Jahren vor Christus, sondern am Ende des 20. Jahrhunderts. Meine Mutter wurde in Hilla, der Hauptstadt der Provinz Babylon, geboren. Mein Vater stammte aus Nasrijah, der Hauptstadt der Provinz Dhi-Qar, nahe den Ruinen von Ur, einer der ältesten sumerischen Städte und dem einstigen Zentrum Mesopotamiens. Beide Städte liegen am Euphrat. Aus diesem Fluss habe ich getrunken und in ihm habe ich geschwommen und dort die Meerjungfrau mit dem goldenen Busen gesehen.

Ich lebte mit meinen Eltern im Kurden-Viertel von Babylon, im Stadtzentrum, fünfhundert Meter vom Busbahnhof entfernt und einige Minuten zu Fuß bis zum Flussufer. Das Kurden-Viertel war nicht, wie der Name vermuten lässt, vorwiegend von Kurden bewohnt. Es lebten nur ein paar kurdische Familien dort. Aber man nannte es trotzdem das Kurden-Viertel. Hauptsächlich wohnten hier Araber, die sunnitische Muslime oder Christen waren, und nur einige wenige schiitische Familien wie meine.

Ich wurde aber nicht im Kurden-Viertel geboren, sondern in Samarra. Als meine Mutter im neunten Monat schwanger war, soll sie bei einer dort lebenden Freundin zu Besuch gewesen sein. Samarra, die Stadt, die man aufgrund ihrer außerordentlichen Schönheit ehemals »Surra-Man-Ra'a« nannte, was so viel bedeutet wie »Erfreut, wer sie sah«, ist meine Geburtsstadt.

Einige Tage nach ihrer Ankunft in Samarra wollte meine Mutter unbedingt den Al-Serdab-Keller des Verborgenen Imam Al-Mahdi besuchen, in dem dieser im neunten Jahrhundert verschwunden sein soll. Seitdem warten die Schiiten auf seine Wiederkehr zusammen mit Jesus Christus, um Gerechtigkeit in die Welt zu bringen und die Menschheit vor dem Bösen zu retten.

Die beiden Frauen gingen dorthin, besuchten zuerst die Grabstätten von Al-Mahdis Großvater und Vater in der Al-Askari-Moschee. Anschließend machten sie sich auf den Weg zum Al-Serdab. Meine Mutter legte sich die rechte Hand an den Kopf und wiederholte fortwährend das Al-Mahdi-Gebet: »Möge Gott Imam Al-Mahdi möglichst bald in Erscheinung treten lassen.«

Bevor Haiat in den Al-Serdab eintreten konnte, sank sie plötzlich ohnmächtig zu Boden. Als sie nach mehr als einer Stunde die Augen aufmachte, fand sie sich in einem Krankenhaus wieder. Eine halbe Stunde später fiel ich aus ihrem Bauch in die Hände der Krankenschwester.

Und seitdem heiße ich Mahdi.

* * *

Meine Eltern verwöhnten mich unendlich. Ich war ihr Leben und gleichzeitig ihr Traum. Alles drehte sich nur um mich. Was ich mir wünschte, bekam ich: Süßigkeiten, Spielzeug und beinahe jeden Monat etwas Neues zum Anziehen. Ungefähr einmal in der Woche trug mich mein Vater auf seinen breiten Schultern durch die halbe Stadt bis zum großen Spielplatz von Babylon. Sogar die Auswahl des Fernsehprogramms zu Hause richtete sich nach meinen Zeichentrickserien. Aber das Glück hielt nicht lange an. Ich war gerade acht Jahre alt, als das Leben der Familie eine andere Wendung nahm: Der Irak-Iran-Krieg begann.

Der erste Luftangriff hat uns alle erschreckt. Die Kampfflugzeuge grunzten über den Himmel wie Schweine. Ein ohrenbetäubender Krach. Zu diesem Zeitpunkt hockte ich gerade vor dem Fernseher und vergnügte mich mit meinem Kinderprogramm. Meine Mutter bereitete in der Küche das Mittagessen vor. Ich sprang auf, rannte ans Fenster und schaute zu den großen Adlermaschinen, die überall am Himmel kreisten. Meine Mutter stürzte aus der Küche zu mir, presste mich fest an sich, riss mich mit zu Boden und versteckte mich unter ihrem schwarzen Gewand. Als wir Sekunden später eine Explosion hörten, die die Wände des Hauses erzittern ließ, flüchteten wir uns in den kleinen Hohlraum unter der Treppe.

Der Fliegeralarm kam dann gleich eine Minute später, genau

wie mein Vater. Haiat hatte bis dahin nur einen einzigen Satz von sich gegeben: »Keine Angst, mein Prinz, es wird alles gut!« Dabei hatte ich gar keine Angst. Ich wusste ja nicht, was die Flugzeuge wollten. Ich wusste nur, dass sie böse Gestalten sein mussten, weil sie meine Mutter derart erschreckt hatten. Später, als Muhsin bei uns saß und schützend seine Arme um uns legte, begann Haiat plötzlich zu weinen. In diesem Moment erst bekam ich eine Heidenangst und ließ meinen Tränen ebenfalls freien Lauf. Ganz zärtlich versuchte mein Vater, uns zu beruhigen. »Keine Angst, meine Liebsten! Alles wird gut!«

Der Angriff dauerte nur einige Minuten. Wir hörten zwei große Explosionen und das laute Knallen mehrerer Geschosse aus Gewehren, Raketen und Flugabwehrkanonen, die aus der im Palmenhain gelegenen Armeestellung abgefeuert wurden. Auch die Explosionen sollen in der Abwehrbatterie stattgefunden haben. Keiner hat jemals gesehen, was da tatsächlich vor sich ging, weil es verboten war, dorthin zu gehen. An diesem Tag ertönten noch ein paar Mal die Sirenen, obwohl man keine Kampfflugzeuge mehr sehen konnte.

Innerhalb des ersten Kriegsmonats erlebte die Stadt eine ganze Reihe von Angriffen. Die Regierung errichtete mehrere Flugabwehrgeschütze auf den Dächern von Schulen, Behörden und den Büros der Baathisten. Allen Leuten empfahl man, bei einem Angriff zu Hause zu bleiben oder zum großen Luftschutzbunker im Zentrum zu gehen. Beim zweiten großen Angriff rannten wir tatsächlich zum Bunker. Der lag etwa zehn Minuten zu Fuß von unserem Haus entfernt. Trotzdem wollte mein Vater unbedingt dorthin. Er freute sich geradezu auf den Bunker, wie ein Kind, das zum ersten Mal ein Flugzeug sieht. »Ja, so viele Bunker gibt es nicht bei uns!«, behauptete er. »Er ist ganz neu. Den müssen wir ausprobieren! Ein historischer Moment!«

Meine Mutter verstand das nicht. Sie wollte sich eigentlich lieber zu Hause irgendwo verstecken. Aber mein Vater bestand darauf. Unterwegs erblickte ich eine ganze Horde von Flugzeugen und hörte das Rattern von Geschossen. Ich sah einen Soldaten, der mitten auf der Straße stand und seine Waffe in den Himmel abfeuerte. Einen andern mit einer Panzerfaust, der hinter einem Baum versteckt den Himmel beobachtete. Und auf Vaters Gesicht tanzten nur Freude und Neugier.

Wir erreichten den Bunker reichlich spät, aber zum Glück unversehrt. Der Luftschutzwart ließ uns auch noch hinein. Viele Familien kauerten auf dem Boden. Wir fanden schnell eine Ecke und hockten uns ebenfalls nieder. Hier hörte man gar nicht, was außerhalb des Bunkers vor sich ging, weil die Schreie der Kinder und die Stimmen der Mütter, die versuchten, ihre Säuglinge zu beruhigen, jeglichen Lärm von draußen übertönten. Ich habe diesen Bunker wahrlich gehasst. Es stank dort erbärmlich, nach Babyscheiße und Erwachsenenfürzen. »Wegen der Angst«, mutmaßte mein Vater.

Meine Mutter blieb in dieser üblen Lage aber wirklich stark. Sie versuchte mit einer bewundernswerten Geduld, eine ältere Frau neben uns zu beruhigen, die die ganze Zeit nur schluchzte, furzte und zitterte. Letztlich war ich froh, als der Luftschutzwart mit seiner Taschenlampe auftauchte. »Alles ist vorbei. Ihr könnt nach Hause gehen!« Ich freute mich riesig über die frische Luft. Abends sagte mein Vater, es sei nichts Schlimmeres passiert. Nur in der Armeestellung habe es Einschläge gegeben, außerdem sei eine Rakete im Basar eingeschlagen und habe Geschäfte zerstört, drei Menschen seien getötet und zwei schwer verletzt worden.

Nach diesem Angriff ging meine Familie niemals wieder in den Bunker, stattdessen suchten wir beim nächsten Alarm die Moschee auf. Das war die Idee meiner Mutter. Und die war wirklich genial. Sie dachte, es sei sicherer, sich in der Moschee zu verstecken. Allerdings nicht in irgendeiner, sondern in einer schiitischen. Die Iraner – meinte sie – seien schließlich Schiiten und würden demzufolge niemals eine solche Moschee zerstören.

So landete die Familie bei den künftigen Luftangriffen in der Moses-Moschee, direkt neben unserem Haus. Den Aufenthalt in dieser großen Moschee fand ich tausend Mal erträglicher als im Bunker. Kein Gestank. Die Leute, die hier Zuflucht suchten, hatten meines Erachtens noch eine ganz andere Angst. Nicht nur die vor den Bomben, sondern auch die vor Gott. Keiner hätte es gewagt, in einem Gotteshaus zu furzen. »Das wäre ja Gotteslästerung«, bemerkte meine Mutter. Die Moschee duftete eher angenehm, nach bestem Weihrauch und wohlriechenden Parfüms.

Zuerst waren in der Moschee nur ein paar schiitische Familien. Als wir zum zweiten Mal dorthin flüchteten, gab es auch noch viele andere Familien, hauptsächlich Christen. Als meine Mutter sie sah, flüsterte sie meinem Vater ins Ohr: »Schau, die Christen sind auch hier! Haben sie jetzt auch den richtigen Weg zu Gott gefunden?«

»Das glaube ich kaum. Sie suchen bestimmt auch nur Schutz hier, so wie wir. Du bist, meine Liebe, nicht die einzige in unserem Viertel, die schlaue Einfälle hat.«

Tatsächlich soll keine schiitische Moschee angegriffen worden sein, berichtete mein Vater. Deswegen füllten sich die schiitischen Moscheen mit immer mehr Menschen, sobald der Alarm losging. Glücklicherweise dauerten die Luftangriffe nie besonders lang. Nach den ersten drei Monaten hörten sie sogar ganz auf. Aber der Krieg ging weiter. Die Kampfhandlungen verlagerten sich an die Front. Man munkelte, die Iraner hätten viele Flugzeuge verloren und schickten deswegen nur noch sehr wenige ins irakische Landesinnere.

Ich war erleichtert, dass in Babylon keine Luftangriffe mehr stattfanden. Die ersten Monate waren schrecklich gewesen, weil das Fernsehen plötzlich meine Zeichentrickserien eingestellt hatte und nur noch Nachrichten von der Front, Erklärungen der Regierung, Lieder für die Soldaten und Reden des Präsidenten sendete. In der Schule verwandelte sich die Sportstunde in eine vormilitärische Ausbildung. In der Lesestunde wurden uns statt *Tausendundeine Nacht* eine Frontgeschichte nach der anderen vorgelesen, über Helden, die für die Heimat sterben und zu Märtyrern werden. Fast einen Monat lang musste ich nach der Schule brav zu Hause bleiben. Meine Eltern erlaubten mir nur ganz selten, mit den anderen Jungen auf die Straße zu gehen. Und fast zwei Monate lang durfte ich nicht mehr auf den großen Spielplatz, mein Vater hielt das für zu gefährlich.

Auch meine Mutter war erleichtert, dass die Luftangriffe nicht mehr in unserer unmittelbaren Nähe stattfanden. Einen Monat später musste mein Vater an die Front. Und noch einige Monate später wurde meine Mutter schließlich in einen Abgrund der Verzweiflung gestürzt, weil sich ihr Ehemann an der Front von uns und der Welt verabschiedet hatte.

* * *

Mit neun Jahren, zu Beginn des zweiten Kriegsjahres, verlor ich also meinen Vater. Er ist an der Südfront gefallen. Der Frontkämpfer, der seinen Sarg mitbrachte, erzählte, mein Vater habe in der Nacht unvorsichtigerweise auf einer kleinen Anhöhe gesessen und sich eine Zigarette angezündet. Auf der anderen Seite habe ein iranischer Scharfschütze wohl die Glut der Zigarette gesehen, direkt in diese Richtung geschossen und das linke Auge meines Vaters getroffen.

Seit dem Tod meines Vaters nannte man mich Sohn des Märtyrers. In der Schule bekam ich in allen Fächern zehn Punkte geschenkt, quasi als Belohnung der Regierung für meinen Märtyrervater. Die Regierung belohnte auch meine Mutter. Sie bekam ein Grundstück, zweitausend Dollar und einen Renault, als materiellen Ausgleich für ihren gefallenen Ehemann. Wie ich später erfuhr, unterstützten damals viele arabische und westliche Staaten die irakische Regierung, weil sie kein schiitischislamisches Land im Nahen Osten haben wollten. Also führte der Irak Krieg gegen den Iran, aber im Grunde war es der Krieg der halben Welt gegen den Iran. Die Iraker schickten Soldaten an die Front, die Unterstützer Geld, Waffen und Autos. Meine Mutter verkaufte das Grundstück und den Renault und kaufte für uns eine kleine Wohnung im selben Viertel, von der sie einen Teil in ein kleines Geschäft umbaute. Die Wand, die zur Straße lag, verwandelte sie in einen großen Eingang mit dem Schild: »Märtyrergemüsegeschäft«.

So erzog sie mich letztlich ohne Hilfe von Verwandten oder Bekannten. Sie wollte nie wieder heiraten. Immer, wenn ein Mann um ihre Hand anhielt, sagte sie, es gäbe nur einen Mann, der ihre Seele und ihr Herz gestohlen habe. Wer sie heiraten wolle, müsse dessen Erlaubnis erbitten. Aber wie sollte das möglich sein, wo der Besitzer ihrer Seele doch ein Märtyrer war?

Nach Muhsins Tod bin ich mit meiner Mutter oft in Nadschaf gewesen, um das Grab meines Vaters auf dem großen Friedhof zu besuchen. Es war kaum zu ertragen, meiner Mutter zuzusehen, wie sie am Grab ihres Mannes eine Kerze und Weihrauch anzündete und weinte. Jedes Mal spielte sich dasselbe Ritual ab. Ich stand vor dem Grab meines Vaters, aber ich hatte nie das Gefühl, er sei auch wirklich hier. Es war nur ein Stein da, worauf geschrieben stand: Muhsin Hussein Al-Saidy. Geboren am 17.2.1947. Zum Märtyrer geworden am 11.4.1981. Ich konnte nicht begreifen, dass derjenige, der hier unter der Erde lag, mein geliebter Vater sein sollte. Trotzdem weinte ich immer, weil meine Mutter weinte.

Ich habe meine Mutter aber nicht nur zum Friedhof begleitet. Oft pilgerten wir auch zu den Moscheen im Osten und Westen des Landes. Meine Mutter bestand darauf, einmal im Monat eine Wallfahrt zu machen. Sie erklärte, wir bekämen dadurch eine gute Note im Himmel. »Bei den heiligen Gräbern, Moscheen oder Schreinen sind die Türen des Himmels geöffnet. Die Engel fliegen überall umher. Da kannst du alle deine Wünsche aussprechen. Du musst nur dein Herz öffnen, für das Licht.«

Bei solch einer Gelegenheit wünschte ich mir einmal vom Imam Al-Kadhum in Bagdad, er möge doch bitte meinen Vater zu uns zurückbringen, damit meine Mutter nicht mehr so weinen müsse. Ich betete in seiner großen, sauberen Moschee, genau gegenüber seinem Grab mit den goldenen Fenstern. Fast eine Stunde lang. Dann warf ich einen Dinar neben sein Grab und gelobte, ihm einen großen Hahn zu opfern, wenn er meinen Wunsch erfüllte. Wochenlang wartete ich geduldig und hoffnungsvoll. Schließlich wurde ich sauer auf Imam Al-Kadhum. Doch das rührte ihn keineswegs. Stattdessen schickte er mir im Traum einen Mann, der mir mitteilte, so eine Verwandlung funktioniere nicht. Mein Vater sei tot, und ein lebloser Mann könne nicht zurückkehren. Ich antwortete, wenn er meinen Wunsch nicht erfülle, dann wolle ich meinen Dinar wiederhaben. Aber der Traummann meinte, auch das sei unmöglich. Seitdem verlange ich nichts mehr von Al-Kadhum oder einem anderen Imam. Und ich habe bei Gott geschworen, in meinem ganzen Leben keine einzige Münze mehr für einen von ihnen zu spenden oder gar einen Hahn zu opfern.

* * *

Ich weiß nicht genau, was für ein Mensch mein Vater gewesen ist. Ich kannte ihn nicht gut genug, um ihn wirklich beschreiben zu können. Ich weiß nur, dass er ein guter Ehemann gewesen sein muss. Die Nachbarn haben ihn ebenfalls gemocht, zumindest behaupteten das alle.

Meine Mutter dagegen kannte ich ziemlich gut. Sie wurde vom Tod verfolgt. Sehr früh verlor sie ihre Eltern. Dann die Tante Malika, die sich nach dem Tod der Eltern um sie kümmerte. Und nun hatte der Tod ihr auch noch den Ehemann genommen.

Doch selbst nach Muhsins Tod verlor sie ihr Lächeln nicht

ganz und versuchte unser Leben auf den richtigen Pfad zu lenken. Sie arbeitete den ganzen Tag im Geschäft und half mir bei meinen Schulaufgaben, obwohl sie nicht so besonders gut lesen und schreiben konnte.

Nach dem Tod ihrer Eltern hatte sie bei ihrer Tante Malika gelebt, einer alten einsamen Frau, die eigentlich nur eine Freundin und Nachbarin der Familie war. Damals war meine Mutter dreizehn Jahre alt, und Tante Malika dachte nicht daran, das Mädchen noch einmal in die Schule zu schicken. Sie war nur darauf bedacht, es großzuziehen und möglichst schnell heiraten zu lassen. Malika kümmerte sich gut um sie und freute sich, als ein Mann um Haiats Hand anhielt. Die alte Tante schien froh, sie an den Mann gebracht zu haben, bevor auch sie sich von der Welt verabschiedete.

Inzwischen hatte meine Mutter in Babylon also nur noch mich. Ich half ihr im Geschäft. Kochte sogar für sie, wenn sie krank war. Das konnte ich zwar nicht besonders gut, dennoch freute sie sich jedes Mal, wenn ich es tat, und behauptete, meine Gerichte seien die leckersten, die sie je gegessen habe. Dann lachte sie und ergänzte, ich sei wie mein Vater. »Lieb bis zur Harmlosigkeit.«

Nach dem Tod meines Vaters konnte ich von meiner Mutter alles haben. Ich bekam reichlich Taschengeld, fast hundert Fils pro Tag. Das reichte allemal für eine Tüte Sonnenblumenkerne, ein Getränk und ein Kichererbsen-Sandwich aus dem Schulkiosk und abends noch für einen leckeren Bissen aus den Läden im Stadtzentrum. Zu jedem Fest habe ich zusätzlich bis zu zwei Dinare von ihr bekommen. Auch Kleider hatte ich mehr als genug. Obwohl sie alle vom Flohmarkt stammten, waren sie stets in Ordnung. Sogar im ersten Jahr nach Vaters Tod sorgte meine Mutter dafür, dass ich immer anständig angezogen war, obwohl sie damals nicht viel Geld hatte, weil wir die staatliche Entschädigung nicht so schnell erhalten hatten. Ein ganzes Jahr warteten wir darauf, bis der Papierkram bei den Behörden erledigt war.

In diesem Jahr musste sie beim Einkaufen ständig handeln. Sie stellte sich dabei überaus geschickt an. Einmal habe ich miterlebt, wie raffiniert sie vorging. Der arme Händler wäre am liebsten in einem Mauseloch verschwunden. Er war Straßenverkäufer und hockte vor dem Haupteingang des großen Basars.

»Wie viel kostet diese Hose? Oder diese drei Hosen? Ich will sie alle für meinen Sohn«, begann Haiat und legte ihre Hand fürsorglich auf meinen Kopf.

»Eine Hose kostet zwei Dinar.«

»Und für ein Waisenkind?«

»Dann die drei für nur fünf Dinar.«

»›Aber hast du den gesehen, der das Gericht ableugnet? Er ist es, der das Waise wegstößt‹, spricht Gott – Er sei gepriesen und erhaben.«

»Wie viel wollen Sie bezahlen?«

»Für die drei Hosen einen Dinar.«

»Kommen Sie von einem anderen Planeten? Ich habe auch Kinder, die ich ernähren muss.«

»Ihre Kinder haben einen guten Vater. Meins aber ist ein Waisenkind. Es hat nur noch Gott und Engel wie Sie, die bereit sind, ihm zu helfen. Und vergessen Sie nicht, was unser Gott – Er sei gepriesen und erhaben – sagt: ›Sie fragen dich, was sie spenden sollen. Sprich: Was immer ihr an Gutem spendet, das sei für die Eltern und Verwandten und die Waisen und die Armen und den Reisenden. Und was immer ihr an Gutem tut, fürwahr, Allah weiß es.‹«

»Oh Gott! Haben Sie den Koran auswendig gelernt? Dann bitte vier Dinar.«

»Ich habe nur einen.«

»Dann kaufen Sie dafür eben nur eine Hose.«

»Wollen Sie etwa, dass ihn die Kinder in der Schule auslachen, weil er immer mit derselben Hose rumläuft? Glauben Sie an Gott?«

»Ja, natürlich!«

»Dann kaufen Sie einen Palast im Himmel für sich und ihre Familie. Der Prophet – Gott segne ihn – sagt: ›Falls jemand nur um Allahs Wohlgefallen den Kopf eines Waisenkindes streichelt, für den gibt es für jedes Haar, das er berührt, eine Belohnung im Himmel.‹«

Der Händler musterte das Gesicht meiner Mutter lange, sehr lange und strich sich mit der Hand über die Haare. »Dann eben zwei Dinar.«

»Mohamed, das Siegel der Propheten – Gott segne ihn und gebe ihm Heil –, spricht ...«

»Gott segne ihn und gebe ihm Heil! Bitte genug! Nehmen Sie alle umsonst, aber lassen Sie mich um Gottes Willen in Ruhe!«

Meine Mutter packte die drei Hosen ein, legte den Dinar auf den Boden, hielt meine Hand fest und sagte zu dem Verkäufer: »Tausend Dank, Gott belohne Sie und schütze Ihre Kinder.«

Drittes Kapitel

Qluq

1989–1990

Fast vierhundert Jahre haben die Osmanen den Irak regiert, von 1534 bis 1920. Trotzdem ist in der irakischen Umgangssprache nicht viel Türkisch übrig geblieben, außer Tutukluluk, oder Qluq, wie man es im Irak ausspricht. Es bedeutet Gefängnis. »Was für ein interessanter Kulturaustausch«, feixte einmal ein Mitgefangener namens Dhalal.

Das Gefängnis, in dem ich einsaß, war ein ehemaliges osmanisches Gebäude. Die Zellen lagen irgendwo unter der Erde, wie mir die anderen Gefangenen berichteten. Am Rand der Stadt, in der Nasrijah-Wüste. Ohne das kleinste Loch oder Fenster in den Wänden. Ein dunkles Qluq, trotz des schwachen Lichts der milchfarbenen Glühbirnen.

Einige Insassen behaupteten, es gäbe drei Abteilungen: Einzelzellen für diejenigen, die sich in Untersuchungshaft befanden, und für diejenigen, die auf ihre Verhandlung warteten. Es sollte noch eine dritte geben, von der ich jedoch nicht wusste, ob sie tatsächlich existierte. Unsere Abteilung jedenfalls glich einem alten Haus. Drei Zellen auf der linken und drei auf der rechten Seite. In der Mitte ein Flur, drei Meter breit, an seinem Ende ein Klo. Ein einziger Quadratmeter mit vier Wänden, einer Tür und einem Loch in der Erde, das zur Hölle stank. Daneben ein Wasserhahn. Dem Klo gegenüber die Haupttür der Abteilung. Dahinter nur ein kleiner Vorraum. Zwei oder drei Wärter an einem niedrigen weißen Tisch. Um sie herum nichts als kahle Wände und das grelle Licht einer Glühbirne.

Die sechs alten, nach verdorbenem Fleisch stinkenden, feuchten Zellen sahen alle gleich aus. Vier Wände und eine Tür, ein Eimer mit Wasser zum Trinken, ein weiterer für die Notdurft, weil wir das Klo nur während unseres zweistündigen Flurspaziergangs benutzen durften. Ein ramponierter Fußboden. An den Wänden alle möglichen Sprüche. Insgesamt sechzehn Quadratmeter, darin zwanzig Häftlinge zusammengepfercht. Für jeden weniger als ein Quadratmeter Platz. Ich war in der Mittelzelle, auf der linken Seite.

Am ersten Tag wollten alle Gefangenen mit mir reden. Jeder versuchte von mir zu erfahren, weswegen ich hier war und was draußen vorging. Ob die Welt immer noch dieselbe war wie diejenige, die sie von früher kannten. Ich wollte aber nicht viel reden, lieber nur dahocken, den Raum und die Gesichter anschauen und von meiner Entlassung träumen. Oder die Augen schließen, um nach Hause zu fliegen. So redete ich nicht viel und beendete alle Gespräche mit dem Satz: »Ich werde bald entlassen.« Sie grinsten alle. Einer schüttelte skeptisch den Kopf: »Darauf warte ich schon seit Jahren!«

Aber mein Schweigen war eigentlich Ausdruck der Trauer. Auch wegen Ali. Das letzte, was ich über ihn gehört habe, erzählte mir einer meiner Zellengenossen, Said. Er kannte Ali näher, weil er einer seiner Parteigenossen war. Im Verhörraum musste Said Alis Ende miterleben. »Ali ist in den Himmel aufgestiegen«, meinte Said. »Er konnte nicht mehr richtig atmen. Nur noch stöhnen. Sein völlig geschwächter Körper schaukelte an der Decke. Zuvor haben sie uns drei Tage lang in einer Zelle hungern lassen und dann mit Strom gequält. Die verhörenden Polizisten wollten mehr Namen von Parteimitgliedern. Zuletzt hat mir einer von ihnen die Augenbinde abgenommen und angefangen, Ali mit dem Stock zu schlagen, damit ich dabei zuschaue, schwach werde und alles verrate. Ali bewegte sich wie jemand, der von einer Schlange gebissen worden ist. Stöhnte noch einmal, und dann kam nichts mehr. Als die Schergen ihn vom Haken holten, war er bereits im Jenseits.«

Ich weinte tagelang über Alis Tod. Habe sogar gebetet und Gott mehrere Male gefragt, welchen Sinn dieses Elend haben sollte.

Allah sieht, was in der Nacht auf dem Land und auf See geschieht.
Nichts auf Erden und in den Himmeln bleibt Ihm verborgen!
Oh Allah, sende uns Deine Gnade!

Aber Gott schwieg, und Ali kam nicht aus dem Folterreich zurück.

Was hatte Ali getan? Er war plötzlich eine Legende geworden. Jeder behauptete irgendetwas anderes über ihn. Für mich war das alles unvorstellbar. Ich verstand überhaupt nicht, worum es ging. Während der Untersuchungshaft wusste ich nicht einmal, welche Anklage gegen mich bzw. ihn erhoben worden war. Oder bei welcher Partei Ali gewesen sein sollte. Ich wusste gar nichts. Außer, dass wir in politischer Haft waren. Im Verhörraum erfuhr ich später von einem Polizisten, ich hätte einige Mitglieder der Kommunistischen Partei gekannt, ohne davon zu wissen. In der Gefängniszelle erfuhr ich von einem Gefangenen, Ali sei bei der Kommunistischen Arbeiterpartei gewesen. Bei den Kommunisten oder bei den Kommunistischen Arbeitern war ich definitiv nicht. Ich hatte nicht einmal von ihrer Existenz gewusst. Said dagegen behauptete, Ali sei in der Islamischen Dawa-Partei gewesen, habe aber auch Kontakte zu anderen Parteien gehabt. Ich konnte mir das wirklich nicht vorstellen. Ali politisch aktiv? Er war mein bester Freund. Wie hatte er es fertig gebracht, mir nichts davon zu erzählen? So viel sollte er verbrochen haben, und ich hatte nicht das Geringste davon mitgekriegt?

Es gab noch andere Geschichten über Ali. Man erzählte, er habe Autos gestohlen und zur iranischen Grenze gebracht, um sie Partisanen, die in den Palmwäldern des Al-Ahoaz-Gebiets Unterschlupf gefunden hatten, billig zu verkaufen. Ob er das aus Überzeugung gemacht hat oder nur des Geldes wegen, wusste keiner so genau. Einer behauptete, Ali sei ein Sklave Gottes gewesen. Mir wurde er plötzlich ganz fremd.

Als ich erfuhr, dass meine Verhaftung nur auf einem Missverständnis beruhte, war Ali noch am Leben. Er hatte mich durch seine Aussage gerettet. Es gab keine Anklage mehr gegen mich. Der Grauhaarige bestätigte mir meine Unschuld, er müsse mich aber trotzdem im Gefängnis lassen, bis die »Akte der Angelegenheit der Organisation« geschlossen sei. »Es geht um Sicherheitsmaßnahmen«, tat er sich wichtig. Meine Untersuchungshaft dauerte nur einige Tage. Ich hätte Glück gehabt, sagten meine Zellengenossen. Einige von ihnen hatten bleibende Schäden zurückbehalten, wegen des langen Aufhängens.

Täglich wartete ich darauf, dass endlich einer käme und »Verschwinde!« zu mir sagte. Aber keiner kam.

* * *

Ich war der Jüngste unter den Gefangenen. Der Älteste von ihnen hieß Adnan und war vielleicht sechzig Jahre alt. Die Zeit hatte ihm viele Falten ins Gesicht gegraben, die wie Narben aussahen. Er hatte kein schwarzes Haar mehr am ganzen Körper, alles grau. Sogar seine Haut glänzte wie schmutziger Schnee. Nur die Augen waren immer noch schwarz und versteckten sich hinter einer großen braunen Hornbrille. Wir wurden schnell Freunde, weil wir beide und noch ein anderer Gefangener namens Dhalal die Einzigen in der Zelle waren, die die Ritualgebete nicht vollzogen. Alle anderen standen jeden Morgen, Mittag, Nachmittag, Abend und jede Nacht zur selben Zeit beisammen, um die täglichen Gebete zu verrichten. Dabei wandten sie sich Richtung Mekka, gesteuert von Ahmed, dem Gebetsrufer der Zellen, der eine besonders ausdrucksvolle Stimme besaß. Wenn ich Ahmeds Stimme hörte, dachte ich, dass die Wörter geradezu aus der Tiefe seiner Seele heraufdrängten. Adnan, Dhalal und ich ignorierten die Gebetszeiten. Wir blieben in einer Ecke sitzen und beobachteten die anderen, bis die Abschlussformel gesprochen wurde: »Salamu Aleikum wa Rahmatullah – Friede sei mit Euch und die Gnade Gottes.«

Adnan war der Kapo, der Boss sozusagen, verantwortlich für seine Mitgefangenen in Bezug auf Essensausgabe, Disziplin und Organisation der Abteilung. Für diese Aufgabe bekam er zwei Brotfladen zusätzlich am Tag. Im Gegensatz zu Adnan stand jedem von uns nur ein Fladen täglich zu. Das Essen kam immer nachmittags, und er musste es nur aufteilen, die Türen der Zellen für zwei Stunden öffnen, damit die Gefangenen sich im Flur die Beine vertreten konnten, hinterher wieder zuschließen und die Schlüssel dem Wärter zurückgeben. Außerdem musste er die Kloeimer leeren und die anderen mit Wasser füllen. Diese Aufgabe erledigte er aber nicht selbst, sondern bestimmte aus jeder Zelle den Jüngsten dafür. In meiner Zelle war ich das. Als Lohn gab er mir täglich einen viertel Fladen. Jeder meiner Zellengenossen hätte diese Arbeit nur zu gern verrichtet, um das Stück Brot zu bekommen.

Der Hunger kennt keine Gnade, sagte mir Adnan, er ist ein herzloses Ding, das man hier täglich umarmt. Am Anfang, als ich noch keine Ahnung hatte, wie man sich im Gefängnisalltag durchschlägt, aß ich meinen Brotfladen auf einmal und blieb dann den ganzen Tag ohne Essen. Ich musste richtig hungern. Die erfahrenen Häftlinge dagegen teilten sich das Brot für drei Mahlzeiten ein. Jeder brach sein Brot in drei Teile und jeden Teil noch einmal in kleine Brocken, wie Hühnerfutter. Das wurde dann in einer kleinen Plastiktüte aufbewahrt, die wir mit dem Brot von den Wärtern bekamen. Die kleinen Brocken musste man trocknen lassen, um später einen richtigen Bissen zwischen den Zähnen zu spüren. Es dauerte lange, bis ich mich an dieses Vorgehen gewöhnte. Ich nahm eine kleine Brotkugel und ließ sie langsam auf meiner Zunge zergehen. Mit viel Wasser, um das Gefühl des Sattseins zu verstärken. Im Laufe der Zeit und des Hungers wurde mein Körper schwach. Wir sahen alle abgemagert und blass aus, wie Vogelscheuchen.

Jeden Tag wartete ich sehnsüchtig auf das Brot. In Wahrheit tat ich nichts anderes. Die Stunden krochen dahin, langsam wie eine Schildkröte. Der Hunger wurde messerscharf, Gaumen, Zunge und Kehle brannten, alles brannte. Und wenn das Brot kam, freute ich mich und schaute es zufrieden an, als wäre das alles, was ich mir wünschen konnte. Ich vergaß sogar nach einigen Monaten meinen Traum von der Entlassung und träumte nur noch von einer üppigen Mahlzeit. Es waren schöne Träume, die in Albträumen endeten: Gemüse, Obst, Brot, Getreide, rotes und weißes Fleisch, Säfte und Süßigkeiten fielen mich fast in jeder Nacht an.

Sie spielten mit mir, wie man mit einem Ball spielt. Das Obst warf mich zum Brot und das Brot zu anderen Köstlichkeiten, bis ich in einem Teller voller Suppe landete. Ich badete darin. Versank. Der Duft des gekochten Basmati-Reises holte mich aus der Tiefe der sämigen Suppe heraus, umklammerte mich wie ein Monster und presste mich zusammen, bis ich in Ohnmacht fiel. Einmal träumte ich, meine Haare seien Spaghetti, und ich lutschte meine Spaghetti-Haare genüsslich ab, eines nach dem anderen.

Der Hunger war für uns schlimmer als jede Naturkatastrophe. Schlimmer als die Folter. Seinetwegen verloren viele nicht nur ihre Kraft, sondern auch ihre Moral. Wie Abu-Saluan, der für Essen fast dreißig seiner Parteifreunde verraten hat. Er war der Führer einer schiitischen Splitterpartei. Eigentlich hatte er in Nadschaf Religionswissenschaft studiert, war überzeugt von dem, was er glaubte und tat. Während der Untersuchungshaft sperrten ihn die Verhörpolizisten fünf Tage lang in eine Einzelzelle und ließen ihn hungern. Dann holten sie ihn ins Verhörbüro, legten ein Schisch-Kebab, gegrillte Zwiebeln und Tomaten sowie ein noch dampfendes großes Stück Brot vor ihm auf den Tisch. Sie sagten, er könne das alles haben, aber nur unter der Bedingung, dass er die Namen der Mitglieder seiner Organisation nenne. Er weigerte sich. Sie folterten ihn nicht, sondern schickten ihn in die Zelle zurück. Der vierzigjährige Abu-Saluan, der vorher drei Wochen lang unter Folter keinen einzigen Namen preisgegeben hatte, konnte bei dem Gedanken an das Essen nicht mehr durchhalten. Er verlor jegliche Vernunft. Das Bild der Speisen beherrschte sein Gehirn. Der Geruch des Kebabs machte ihn wie besessen. Das frische Fladenbrot tauchte vor ihm auf, rund und flammend wie die Sonne im Sommer. Die Erde taumelte. Er konnte den Schmerz im Bauch einfach nicht mehr ertragen. Sein ganzer Körper zitterte. Er blieb nur wenige Minuten in der Zelle. Dann hämmerte er wie verrückt an die Tür und schrie, er wolle zum Verhör. Er verriet alle Namen und bekam das Essen. Später, als einige seiner Freunde festgenommen worden waren und sich mit ihm in der Zelle befanden, gingen sie heftig auf ihn los. Einer wollte ihn sogar umbringen. Da erst begriff Abu-Saluan, was er angerichtet hatte. Seitdem weinte er täglich bei jedem Gebet. Oft aß er sein Brot gar nicht selbst, sondern brach es in kleine Stücke und verteilte sie an die anderen Gefangenen. Er unterzog sich einer Art Hunger-Strafe. Einen Monat später bewegte sich Abu-Saluan morgens nicht mehr. Sein Körper war ausgetrocknet wie ein Holzscheit. Er war tot. Einfach tot.

Obwohl Abu-Saluan starb, nachdem er seine Freunde verraten hatte, gaben auch andere Häftlinge auf und waren bereit, alles zu tun, um ein Stück Brot zu bekommen. Der dreißigjährige Abu-Zainb, Mitglied einer demokratischen Partei, wurde ein ernsthaftes Problem für die Gefangenen, nachdem er plötzlich unser Kapo geworden war. Eigentlich sah er ganz nett aus, kräftig, mit kurzen Beinen und einem kleinen Bauch. Er schien überhaupt nicht bösartig, denn er lächelte oft.

Er überraschte uns alle am Durchsuchungstag. An einem solchen Tag, der einmal in der Woche stattfand, kamen normalerweise ein Verhörpolizist und mehrere Wärter in unseren Trakt, um nachzuforschen, ob es irgendetwas Verbotenes in den Zellen gab. Dabei wurden nicht nur wir selbst und unsere Klamotten durchsucht, sondern die ganze Zelle wurde regelrecht auf den Kopf gestellt. Sogar die Wände klopften sie nach möglichen Hohlräumen ab, in denen die Häftlinge verbotene Texte oder Gegenstände hätten verstecken können. Als der blonde Verhörpolizist fragte, ob ihm jemand etwas zu sagen habe, meldete sich Abu-Zainb. Er wollte das allerdings nicht vor uns erzählen und wurde deswegen von dem Blonden mit hinaus in den Vorraum genommen. Der stürmte kurz darauf mit dämonisch funkelnden Augen zu uns zurück. Er packte Adnan und schlug ihn ins Gesicht. Adnan fiel auf den Boden. Der Blonde brüllte ihn wütend an: »Hurensohn!«

Dann befahl er den Wärtern, Adnan mitzunehmen. Er rief schließlich vom Flur aus zurück: »Jetzt ist Abu-Zainb euer Kapo.« Adnan wurde bestraft. Wir hörten seine Schreie, die bis in unsere Zelle drangen. Halbtot kehrte er zu uns zurück, übersät mit blauen Flecken. Er erzählte uns, die Wärter hätten kein Wort gesagt und ihn nur gefoltert.

Abu-Zainb wurde also Kapo, und ich verlor meinen Eimer-Job. Abu-Zainb benahm sich seitdem wie ein Gott, er verwandelte unser höllisches Leben in eine noch höllischere Hölle. Er untersuchte unsere Zellen öfter als die Wärter. Und wenn er etwas Verdächtiges fand, auch wenn es nur ein Wort an der Wand war, informierte er sie sofort, was uns ständige Bestrafungen einbrachte. Mehrere Male ließ er uns einfach nicht im Flur spazieren gehen, weil ihn einer »Arschloch« genannt oder ein anderer ihn nicht freundlich genug angeschaut hatte. Wir litten drei Monate unter seinem Kommando. Manchmal dachte ich, er sei ein neuer irakischer Diktator, sitze aber nicht in Bagdad, sondern im Gefängnis von Nasrijah. Adnan meinte oft: »Wenn der Opposition solche Menschen angehören, dann ist die Zukunft des Landes auch im Arsch!«

Letztlich kam der Tag, an dem Abu-Zainb ins Abu-Ghraib-Gefängnis verschwinden musste. Er wurde von einem Sondergericht zu lebenslänglich verurteilt. Keiner von uns kannte seine Anklage oder seine früheren Taten. Er hatte niemals davon gesprochen. Adnan behauptete, Abu-Zainb sei eine sehr wichtige Persönlichkeit gewesen. Ein Rechtsanwalt, der Unterstützung vom britischen Geheimdienst erhalten hatte, um eine demokratische Partei im Südirak aufzubauen. Er habe es aber nicht geschafft, irgendetwas Nennenswertes auf die Beine zu stellen. Sein eigener Bruder, ein treuer Baathist, habe ihn bei der Polizei angezeigt.

Wir feierten den Tag von Abu-Zainbs Abtransport. Die Wärter kamen am selben Tag zu Adnan und bestellten ihn wieder zum Kapo, auf Befehl des Blonden. Keiner verstand, wieso Adnan abermals beauftragt worden war. Später erfuhr er, dass der Blonde genau gewusst habe, dass Abu-Zainb ein Lügner sei und nur mehr Brot wollte. Er soll dem Blonden von einer Organisation erzählt haben, die Adnan angeblich in der Haft gegründet hatte. Sozusagen eine neue Partei.

Ich meinerseits war froh, dass Adnan wieder Kapo war, weil ich meine alte Arbeit – Kloeimer leeren und Trinkwassereimer füllen – fortsetzen konnte und ein viertel Stück Brot zusätzlich bekam.

»Der Hunger konnte das wahre Wesen eines Menschen an die Oberfläche pressen, ob aus Fäulnisgestank oder wohlriechenden Düften«, schrieb Dhalal einmal an die Zellenwand. Der Hunger verlangte uns eine außergewöhnliche Stärke ab, ihn neben all den anderen Grausamkeiten zu ertragen, über Monate und Jahre hinweg. Er schärfte dafür im Laufe der Zeit unsere Sinne. Bald konnten wir die leisesten Gerüche wahrnehmen und unterscheiden, die aus den Räumen der Wärter in unsere Zellen drangen. Der Gebetsrufer Ahmed lernte sogar, die Teesorte zu erriechen. Er konnte genau bestimmen, was es bei den Wärtern zu essen und zu trinken gab, ob Zwiebeln, Brot oder Eier. Diese neue Fähigkeit entpuppte sich aber als wahrhaftiger Fluch. Wenn ich den Geruch von Essen bemerkte, verkrampfte sich mein Magen. Jedes Mal musste ich fest mit den Händen auf meinen Bauch drücken und mich lange auf den Boden legen, bis mir die Tränen kamen. Letztlich musste ich des Hungers wegen mit einem anderen Problem kämpfen – mit dem Stuhlgang. Am Anfang konnte ich mich fast täglich entleeren. Nach einem Monat reduzierte sich das auf einmal pro Woche. Dann einmal alle zwei Wochen, verbunden mit außerordentlichen Schmerzen. Es war ja nichts im Bauch. Es kamen nur kleine feste Kerne wie Kiesel heraus. Während unserer zweistündigen Spaziergänge im Flur konnte man immer einen auf dem Klo stöhnen hören.

Viertes Kapitel

Babylonier

1984–1987

Im vierten Kriegsjahr musste ich wie alle Schüler der vierten bis sechsten Klasse zu den Jungpionieren. Jeden Donnerstag hatten wir in unserer Militäruniform anzutreten, die uns die Regierung kostenlos zur Verfügung stellte. Der Sportlehrer und Schutzpolizist der Führer-Grundschule – so hieß die Schule, die ich besuchte – begleitete uns zum Pionierlager, wo bereits eine Menge anderer Schüler aus verschiedenen Schulen versammelt waren. Auf dem großen Platz des Lagers sollten wir dann militärisches Marschieren und Exerzieren lernen: »Haltung annehmen! Hinsetzen! Vortreten! Seid bereit! – Immer bereit!«, auch den Umgang mit Pistolen und anderen Waffen.

Ich ging aber nur drei Mal hin und dann nie wieder, weil einige ältere Schüler mich dort nach allen Regeln der Kunst vermöbelt hatten. Ich hatte nicht bemerkt, dass ich einem großen, kräftigen Schüler auf den Fuß getreten war. Ich wusste auch nicht, dass er ein großer Anführer an seiner Schule war. Nach der Tracht Prügel weigerte ich mich, in der folgenden Woche wieder zu dieser Veranstaltung zu gehen. Der Sportlehrer bestrafte mich deshalb sehr hart. Ich musste vor allen Schülern und Schülerinnen auf dem Hauptplatz der Schule stehen und erhielt von ihm zehn Stockschläge auf die Hand. Anschließend befahl er den anderen, mich abzuklatschen. Aber nicht mit den Händen, sondern mit den Füßen. Zuletzt durften sie mich auch noch »Mädchen« nennen.

An diesem Tag weinte ich sehr viel, meine Hände schmerzten. Als meine Mutter von der Bestrafung erfuhr, war sie aufgebracht. Leider aber hatte sie nicht die geringste Chance, irgendetwas gegen den Sportlehrer zu unternehmen, weil er der Regierungspartei angehörte.

Einige Zeit später störte es mich überhaupt nicht mehr, ein »Mädchen« geworden zu sein, denn viele andere Schüler wurden ebenfalls »Mädchen«. Es war angenehm, die Zeit mit den Schülerinnen zu verbringen, denn sie hatten amüsantere Spiele. Und was mich am meisten freute, war die Tatsache, dass ich auf diese Weise viel Zeit mit Rosa, der Schwester meines Freundes Jack, verbringen konnte.

Rosa, Die-mit-den-goldenen-Brüsten, wie Jack und ich sie immer nannten, war drei Jahre älter als wir. Ein schönes, freches Mädchen. Mit ihrem roten Haar und ihren großen blauen Augen sah sie wirklich aus wie die schönen Frauen in den englischsprachigen Filmen, die im Fernsehen gezeigt wurden. Sie hatte aber einen schlechten Ruf, weil viele behaupteten, sie hätte ständig Beziehungen zu Jungen. Aber keiner konnte genau sagen, zu wem oder welcher Art diese Beziehungen waren.

Rosa verbrachte viel Zeit mit mir und ihrem Bruder. Sie benahm sich wie ein Junge. Sie spielte mit uns alle unsere Spiele mit, sogar Fußball. Einmal gingen wir zu dritt zum Schwimmen, an einem Ufer direkt am Palmwald, weit entfernt von der Straße und den Häusern, wo keiner uns sehen konnte. Es war verboten, dort zu schwimmen, besonders für Mädchen. Sie zog sich trotzdem ungeniert die Kleider aus, warf sich nur mit einer weißen Unterhose bekleidet ins Wasser und begann, uns nass zu spritzen. Seitdem war ich in ihre goldenen Brüste verknallt. Und nicht nur ich, sondern auch ihr Bruder Jack. Der gestand mir sogar, er würde gern einmal auf ihrem Busen schlafen. Doch als er es wagte, sie darum zu bitten, antwortete sie ihm mit einer schallenden Ohrfeige. Ich habe Rosa niemals darum gebeten. Aus Angst, sie könne mir ins Gesicht spucken, sodass ich mich für immer in sie verliebt hätte.

* * *

Jack kam aus einer reichen Familie mit einem großen Haus am Flussufer. Seine Eltern waren nette Leute, die mich sehr mochten.

Obwohl ich aus einer armen Familie stammte, dachte keiner von uns an diese gesellschaftlichen Unterschiede.

Jack war schmal, aber ein kräftiger Junge. Er trug oft ein gestreiftes T-Shirt und eine ebenfalls gestreifte Hose. Er behauptete, die Kleider seien aus England. Die Burschen im Viertel nannten ihn der Streifen wegen »Zebra«. Er war der Einzige von ihnen, der mit einer Steinschleuder ein Ziel genau treffen konnte. Manchmal spielte er damit die ganze Nacht und jagte Fledermäuse.

Eines Tages jagte Jack mit seiner Schleuder einen Menschen: Zaid, bekannt als »Tarzan«. Er war der Boss der wilden Jungen in der Schule, ein sehr gefährlicher kräftiger Junge, groß wie ein Gorilla. Einmal hatte er mit seiner Bande mich und Jack erwischt und verlangte Geld. Wir weigerten uns. Sie drohten, uns zu verdreschen. Tarzan legte sogar seine Hand auf Jacks Hintern und sagte: »Du, Blondy, musst mit was anderem bezahlen!« Als ich das sah und hörte, gab ich ihm alles, was ich in der Tasche hatte. Drei oder vier Mal hat Zaid uns so das gesamte Taschengeld abgeknöpft. Eines Tages brachte er uns sogar um das Geld, das wir von meiner Mutter zum Opferfest bekommen hatten. Deswegen wurde Jack mit seiner Schleuder zum Menschenjäger. Er traf Tarzan am Kopf. Der fing an zu bluten und fiel zu Boden. Nur ein paar Tage später rächte er sich aber auf dem Schulhof an Jack vor allen Schülern. Er schlug und trat auf ihn ein. Immer und immer wieder, richtig brutal. Ich wollte Jack helfen. Aber Zaid war sehr stark. Er hatte einen Körper wie aus Stein, schubste mich spielend zu Boden, und seine Bande hielt mich fest.

Nach diesem Vorfall besuchte Jack einen Karate-Kurs, um einige Monate später Tarzan fachgerecht zu verprügeln, ebenfalls vor allen Schülern. Er flog durch die Luft und trat zu, landete auf dem Boden und flog noch mal, wie ein Tänzer. Ich traute meinen Augen nicht. Wie stark mein schmaler Freund war! Zaid konnte nichts gegen ihn ausrichten. Er kassierte nur einen Tritt nach dem anderen, bis er schließlich aufgab. Danach stellte er sich uns nie mehr in den Weg, und Jack wurde als Held gefeiert. Für mich war das ein großer Vorteil. Seitdem wagte es keiner der Burschen mehr, uns zu ärgern.

Mit Jack ging ich Fußball spielen, ließ Drachen steigen, wir rannten um die Wette bis zur Mauer der Schule, spielten Karten ... Mittags, wenn die anderen in der Sommerhitze schliefen, machten wir immer einen Spaziergang, von einem Schatten zum andern, bis zum Fluss beim Palmenhainufer. Oft schwammen wir oder jagten die armen Vögel, die sich in den Bäumen versteckten. Oder wir gingen in die Altstadt, manchmal begleitet von Rosa. Dort schauten wir die Touristen an, merkwürdige Männer mit kurzen Hosen und seltsame Frauen mit ebenso kurzen Kleidern. Aber sie sahen Jack und Rosa ähnlich. Rosa vermutete, sie seien Europäer. Wir beobachteten sie, wie sie stundenlang die herumliegenden Steine und die Überreste des alten Babylon beäugten. Trotz unserer kindlichen Neugier blieben wir aber immer in einer gewissen Entfernung, weil Kinder allein nicht dorthin durften, wie uns die Wache einmal zurief, als wir, mutiger geworden, tiefer in die historischen Stätten vorgedrungen waren.

Rosa, Jack und ich konnten relativ gut Englisch. Ich habe diese Sprache nicht nur in der Schule gelernt, sondern auch von Jack und Rosa. Schließlich sprachen sie das ja zu Hause. Ihre Mutter hatte die beiden unterrichtet. Sie war oft in England gewesen. Ihr Bruder wohnte und arbeitete dort. Außerdem hatte sie die Absicht, ihre Kinder später in England studieren zu lassen. Deswegen bestand sie auch darauf, dass zu Hause nur Englisch gesprochen wurde. Meine Mutter konnte kein Englisch. Die meisten Leute im Kurden-Viertel konnten das nicht, nur die Christen. Meine Mutter behauptete, es sei ganz normal, dass die Christen Englisch sprächen. Sie sähen ja schließlich genauso blass aus wie die Christen in Europa, die man im Fernsehen zu Gesicht bekam. »Ich glaube, alle blassen Leute können Englisch«, schloss meine Mutter ihre Erklärungen ab, und sie hatte recht damit. Jack, Rosa und ihre ganze Familie sahen allesamt wirklich blass aus, wie der Kraft-Käse, der seit Kriegsbeginn der einzige im Land erhältliche Käse war. Ich dagegen sah »braun und staubig« aus, wie Jack zu sagen pflegte. Aber trotzdem fanden sie mich schön und ich sie auch. Rosa mit ihrem rötlich-braunen Haar vergötterte ich, als sei sie das schönste wilde Reh in ganz Babylon, so wie Jack, den ich als das charmanteste blonde Zebra des ganzen Irak bewunderte.

* * *

Mein Leben im Kurden-Viertel war angenehm: arbeiten im Gemüsegeschäft, mit Jack oder mit Rosa herumstreunen, Schule, und mehr gab es nicht. Ich war zufrieden. Und stolz war ich auch, als Jack und ich es geschafft hatten, unsere beiden Familien zu befreunden. Seine Mutter besuchte meine und umgekehrt.

Normalerweise feierten die Christen ihre Feste und wir unsere. Ich freute mich sehr, wenn Weihnachten vor der Tür stand. Zwei Mal war ich bereits bei meinen christlichen Freunden eingeladen gewesen und hatte auch Geschenke erhalten. Jack und Rosa freuten sich ihrerseits auf das Fasten- oder Opferfest, weil auch sie Geschenke und leckeres Essen von meiner Mutter bekamen.

Auf meiner ersten Weihnachtsfeier war ich zwölf Jahre alt. Jacks Familie aß an diesem Abend Schwein. Für mich hatte Jacks Mutter extra Rindfleisch gebraten, denn Schwein durfte ich ja nicht essen. Meine Mutter erklärte mir, einem Muslim sei das verboten, weil Schweine unrein und deshalb von Gott verachtet seien. Eigentlich seien Schweine einmal Menschen gewesen, die Gott in Schweine verwandelt hatte, weil sie in ihrem Inneren unrein gewesen seien, und wenn man Schwein esse, verliere man sein Eifersuchtsgefühl. Ich dachte damals, meine Mutter habe bestimmt recht, weil Jacks Vater nie eifersüchtig war, wenn seine Frau ein ärmelloses, tief ausgeschnittenes Kleid trug. Meine Mutter dagegen trug niemals solche Kleider, sondern immer ein langes Gewand und einen Schleier, wodurch alle Körperteile lückenlos bedeckt wurden. Ich aber hatte kein Problem damit, dass Jacks Mutter wie ein kleines Mädchen mit einem ärmellosen Kleid herumlief. Im Gegenteil, ich fand das sogar hübsch. Am Anfang brachte es mich schon in Verlegenheit, wenn ich sie in solchen Kleidern sah, aber im Laufe der Zeit gewöhnte ich mich daran und schämte mich nicht mehr.

Am Heiligen Abend las Jacks Vater aus der Bibel vor. Danach begannen wir mit dem Essen. Der Vater und die Mutter tranken Rotwein. Ich saß neben Rosa, die Fleisch nicht mochte und deswegen nur Reis und Salat bekam. Als ihr Vater sich Wein in sein Glas goss, flüsterte sie mir verschwörerisch zu: »Ihr trinkt keinen Wein, ich weiß. Aber weißt du, was wir in der Kirche sagen?«

»Was?«

»Wein ist das Blut von Christus.«

»Machst du Witze!?«

»Nein. Echt. Glaub mir! Stell dir mal vor! Meine Eltern trinken jetzt Blut!«

Ich schaute sie völlig entgeistert an.

»Ja. Erinnerst du dich an den Film, der vor Kurzem im Fernsehen lief? Dracula? Meine Eltern sind von dieser Sorte. Einfach Blutsauger. Ich glaube, sie werden heute, wenn ihre Flasche leer ist, aus deinem Blut Wein machen.«

Erschrocken dachte ich, Rosa habe das wirklich ernst gemeint. Aber sie prustete plötzlich lachend los: »Er hat Angst! Sein Gesicht ist blass geworden!« Als ihre Eltern mitbekamen, worum es ging, schimpften sie Rosa ordentlich aus.

Blutsauger waren Jacks Eltern nun wahrhaftig nicht. Sein Vater, ein angesehener Geschäftsmann, verkaufte Autos. Er besaß ein großes Autohaus im Zentrum der Stadt. Die Mutter kümmerte sich um den Haushalt und die Kinder. Ihr Haus war nicht so bescheiden wie unseres. Es war genauso groß wie das Autohaus, mit einem noch größeren Garten. Mitten in diesem Garten stand eine Hollywoodschaukel. Oft schaukelte ich dort mit Rosa oder Jack. Manchmal überkam mich der Neid, weil Jack ein Fahrrad besaß, einen eleganten Anzug und ein eigenes Zimmer mit allen möglichen Spielen. Ich dagegen verfügte über keinerlei außergewöhnlichen oder gar beneidenswerten Besitz. Doch diese Weihnachten entdeckte ich einen ganz individuellen Reichtum an mir. Einen Reichtum, den Jack nicht hatte und niemals haben würde: eine Mutter, die noch nie in ihrem Leben Blut getrunken hatte.

Fünftes Kapitel
Gefängnisalltag
1989–1990

Hinter der Sonne ist in der irakischen Umgangssprache die Bezeichnung für Gefängnis, die treffendste Beschreibung für diese dunkle Seite der Welt. Die Sonne sah ich tatsächlich nicht mehr. Von Anfang an musste ein Gefangener im Reich *Hinter der Sonne* bestimmte Regeln erlernen und befolgen, um zu überleben: Regeln fürs Essen, fürs Scheißen und sogar Regeln fürs Schlafen. Und diese Schlafregeln waren nicht einfach.

Wegen des Hungers, der Angst und der Übermüdung war das Schlafen an sich schon schwierig. In den ersten Tagen konnte ich meinen Kopf einfach auf den Boden legen und mich irgendwo anders hinträumen: auf die Flügel einer Taube, auf das Dach, ins Taubencafé, in die Schule, zu den Freunden oder auf die Couch in meinem Zimmer. Das Schlafen war wie eine Art Bewusstlosigkeit. Ich lebte zwischen zwei Welten. Wenn ich aufwachte und die blassen Gesichter der Mitgefangenen oder die harten Gesichter der Wärter und Verhörpolizisten erblickte, schloss ich die Augen noch einmal und kehrte in meine andere Welt zurück.

Richtig schlafen konnte ich selten. Ich lag ganze Nächte wach, weil ich die andere Art von Schlaf erst lernen musste, nicht auf weichen Matratzen, sondern auf einem rauen nackten Betonboden. Dieser kalte Beton bohrte sich in meine Knochen. Hände aus Eisen drückten sich in mein Fleisch und schälten die Haut ab.

Der harte Boden war aber nicht das einzige Schlafhindernis. Die Zelle war viel zu eng für zwanzig Männer. Wenn wir schlafen wollten, mussten wir uns eng aneinanderpressen. Außerdem schnarchten einige Gefangene, andere furzten oder sprachen laut im Schlaf, und das Geschrei der Neulinge drang fast jede Nacht aus der Folterkammer der Untersuchungshaft an unsere Ohren.

Doch das war noch nicht alles. Wegen der Feuchtigkeit, der fehlenden Sonne und des Schmutzes waren ganze Bataillone von Wanzen in unseren Kleidern zu Gast. Sie waren richtige Schlafverderber. Erstens aufgrund ihrer Überzahl und zweitens wegen ihrer Nachtaktivität. Sie bohrten sich wie Dornen in unsere Haut mit ihren stechenden und saugenden Mundwerkzeugen. Dabei bevorzugten sie hauptsächlich die engen Winkel des Körpers: zwischen den Schenkeln und unter den Achseln. Der ständige Juckreiz konnte einen fast in den Wahnsinn treiben. Später tauchte noch eine andere, nicht minder lästige Sorte von Ungeziefer auf: die Krätzmilbe. Diese eigenartigen Geschöpfe waren extrem hart. Man konnte sie nicht wie die Wanzen jagen, weil sie sich unter die Haut gruben, um dort gemütlich zu wohnen. Sie saugten Blut, wann immer sie wollten. Jedes Mal wieder hatte ich den sehnlichen Wunsch, sie einfach wegzukratzen, aber die Grabtierchen waren fast unerreichbar. Sie bedienten sich meiner Haut als Decke oder Schutzkleidung. Und dort legten sie auch ihre Eier ab. Wenn einer die Krätze hatte, mussten wir uns einen ganzen Tag lang splitterfasernackt in der Zelle behandeln lassen. Zuerst wurden uns sämtliche Körperhaare abrasiert, und dann mussten wir uns von oben bis unten mit einer speziellen Creme einschmieren.

Der erlösende Schlaf kam trotzdem nur selten. Doch letztlich gewöhnte man sich an alles. Irgendwann konnte ich in jeder Lage die Augen schließen. Aber wenn ich dann endlich eingeschlafen war, wünschte ich mir im Traum umso mehr, wieder aufzuwachen, um gerettet zu werden. Aus den unzähligen Händen der unzähligen Kreaturen, die mich in meinen unzähligen Albträumen unzählige Male gnadenlos folterten.

* * *

Irgendwann hatte ich jedes Zeitgefühl verloren. Die Sonne, an der man die Tageszeiten hätte ablesen können, sahen wir nicht. Kein noch so kleines Loch in den Wänden, damit sie zu uns hätte durchscheinen können. Von einer Uhr ganz zu schweigen. Nur das Licht der Glühbirne fiel wie ein sandfarbener, staubiger Strahl auf uns nieder.

Die Zeit konnten wir nur erahnen. Wenn sich die Türen für den Spaziergang öffneten, wussten wir, der Vormittag war da. Den Mittag oder Nachmittag erkannten wir daran, dass das Brot kam. Die Nacht freilich war noch leichter zu erkennen. Wir hörten fast in jeder Nacht Schreie, die vermutlich aus der Folterkammer zu uns drangen. Das Orchester der Nacht, das sich einem mit scharfen Instrumenten ins Herz grub und den Körper der Zuhörer erzittern ließ.

Kein Zeitgefühl, Hunger, Schlafstörungen, Wanzen, Krätzmilben, Hautkrankheiten, die seltsame Kälte des Gefängnisses … All dies bot uns eine fast willkommene Abwechslung, wenn man unser eintöniges Leben betrachtete. Alles war verboten. Bücher oder Zeitungen, Stifte, Spiele. Jeden Abend saßen wir auf dem Zellenboden, zogen unsere Kleider aus und jagten das lästige Ungeziefer. Die Jagd bot zusätzlich Anlass zu Redeschlachten.

»Ich habe schon zehn Stück.«

»Ich zwanzig.«

»Mann! Ihr Blut stinkt wie deins!«

»Ganze Wanzenvölker habe ich schon erledigt.«

»Wir sind alle Mörder – aus der Sicht einer Wanze«, dozierte ironisch der 27-jährige Dhalal, der die Wanzen nicht nur tötete, sondern zuvor folterte. Er nahm immer zwei Wanzen und sperrte sie in eine kleine Plastiktüte. Dann schaute er sie stundenlang an, redete mit ihnen und beschimpfte sie manchmal bösartig. Er ließ sie in ihrem Plastikgefängnis, bis ihre braune oder schwarze Farbe verblasste. Danach holte er sie heraus, legte sie auf seinen Fingernagel und zerdrückte sie fest mit dem Daumen der anderen Hand. Aber es sprang kein Blut aus ihnen heraus, nur eine klare Flüssigkeit, wie Wasser. Er verabschiedete sich schließlich von ihnen mit einem selbst gedichteten Nachruf:

»Oh, ihr einzigen Lebenden, einzigen Glücklichen, ich umarme euch. Ich bin euer Bote, eure Farbe, euer Zeichen. Im Grab ist man nie tot. Der tot ist, ist der, der nicht einmal den Tod umarmt hat. Der immer atmet. Wie ein Stein auf dem Weg. So viele Tote, die keine Gräber haben. Die nicht wissen, dass sie tot sind. Die lebendigen Leichen sind überall. Seht, wie tot sind die Kinder Adams. Oh, ihr einzigen Lebenden, einzigen Glücklichen, ohne unser Blut seid ihr gar nichts!«

Dhalal war einmalig. Keiner hielt ihn für normal. Wenn er redete, benutzte er unzählige Fremdwörter und philosophische Fachbegriffe. Auch seine Anklage war ungewöhnlich: Mitglied der Irakischen Existenzialismusbewegung. Keiner von uns hatte je davon gehört. Er kam aus der Gegend Suq-Al-Shjuch – Basar der Herren –, die etwa dreißig Kilometer von Nasrijah entfernt liegt. Dort soll er mit noch vier Freunden, die an der Universität Französisch studierten, Werke von Sartre, de Beauvoir und Camus gelesen und sich in ihre Ideen verliebt haben. Er kam dann mit seinen Freunden auf die Idee, eine Bewegung zu gründen, die den Existenzialismus als Basis für politisches Handeln propagierte. Sie wollten die Regierung stürzen und eine neue Gesellschaft aufbauen, die keine Staatsführung mehr brauchte, sondern sich selbst regierte. Jeder sollte Bürger und Präsident zugleich sein.

Motto der Bewegung: Existenz des freien Willens. Sie wurden aber von der Polizei entdeckt, weil Dhalal darüber mit jedem, den er kannte, sprach. Seine Freunde verschwanden spurlos. Und nun saß er mit mir in derselben Zelle. Keiner von uns verstand, was er tatsächlich wollte oder mit seiner »Existenz des freien Willens« meinte. Einmal, nachdem er eine Wanze getötet hatte, sagte er zu mir: »Ich weiß nicht, was die irakische Existenzialismusbewegung überhaupt bedeutet oder was sie tun könnte. Ich weiß nur eines: Ich will etwas anderes, nichts Religiöses oder Kommunistisches.«

»Darf ich fragen, warum du immer genau zwei Wanzen in deinem Plastikgefängnis hast? Warum nicht nur eine oder mehrere?«

»Das hab ich doch grade zu erklären versucht. Sie sind meine beiden Feinde, der Islam und der Kommunismus. Ich foltere sie.«

Eines Tages wurde das Ungeziefer vor Dhalal gerettet. Er wurde nämlich verlegt. Man sagte, nach Bagdad in die Sicherheitsbehörde, weil sich der Boss der Sicherheitspolizei selbst über die einzigartige Dhalal-Bewegung informieren wollte. Seitdem haben wir nichts mehr von ihm gehört. Doch immer, wenn wir Wanzen jagten, dachten wir an ihn. Er war irgendwie ein ziemlich komplizierter Mensch. Von dieser Sorte gab es viele unter den Gefangenen. Einzigartige, von denen keiner so recht wusste, ob sie durchgedreht oder einfach nur keine normalen Geschöpfe waren.

Beten und Fasten waren eine andere Beschäftigung. Viele Gläubige brachten die Zeit nur mit ihren Gebeten zu. In der Nacht, wenn sie nicht schlafen konnten, murmelten sie zahllose Gebete vor sich hin, bis sie völlig erschöpft waren. Einige kamen auf die Idee zu fasten. Sie aßen und tranken den ganzen Tag nichts und brachen dann abends ihr Fasten. Sie versammelten sich, bildeten einen Kreis, legten ihre Brotstücke in die Mitte und feierten. Zwei Gefangene begannen, den Koran auswendig zu lernen. Sie baten jeden, der eine Sure kannte, diese für sie an die

Wand zu schreiben. Hasan hatte eine ganz besondere Beschäftigung: Schweigen. Er sprach kein überflüssiges Wort. Er hockte da und starrte stundenlang die Wand an, immer auf dieselbe Stelle. Er war sozusagen ein freiwilliger Stummer. Obwohl er mit mir in einer Zelle war, wusste ich gar nichts über ihn.

Und ich? Ich jagte Wanzen, und meine zweite Beschäftigung wurde bald das Lesen, und zwar alles, was die anderen Gefangenen an die Wände geschrieben hatten. Ich hätte gern Bücher gehabt, aber so etwas existierte in diesem Leben nicht. Später begann ich selbst, die Wände zu beschreiben, Wörter und Sätze, die ich für Gedichte hielt. Adnan lachte mich aus und spöttelte: »Welche Gemeinsamkeiten mögen Schreiben und Wanzenjagen wohl haben? Unterhaltung oder körperliche Ertüchtigung?«

Sechstes Kapitel
Abschied von Babylon
1988

Es gibt Tage und Nächte, in denen nichts passiert, rein gar nichts außer der Normalität. Und es gibt andere, in denen so viel geschieht, dass man sie niemals mehr vergessen wird. Und der Tag der Party war einer dieser unvergesslichen Tage.

Es war August. Mutter wollte nach Bagdad, um die AlKadhum-Moschee zu besuchen. Sie fragte mich, ob ich es schaffen könne, allein zu Hause zu bleiben. Ich antwortete selbstbewusst: »Sicher. Ich bin siebzehn. Ein erwachsener Mann.«

Sie lächelte: »Dann bin ich glücklich! Ich bleibe nur drei Tage.«

Am Tag ihrer Abreise beschloss ich, meine Freunde zu einer Geburtstagsparty bei mir zu Hause einzuladen. Eigentlich lag mein Geburtstag bereits drei Monate zurück. Aber ich wollte die Abwesenheit meiner Mutter ausnutzen. Die Party sollte am nächsten Abend stattfinden. Alle Gäste waren Christen aus unserem Viertel, die ich durch Jack kennengelernt hatte.

Am Tag der Party kamen noch vier Jungen und zwei Mädchen dazu, die alle unsere Schule besuchten. Es sollte eine Party mit Alkohol werden. Zumindest hatte ich mir das vorgenommen. Deswegen lud ich auch keine muslimischen Freunde ein. Jack und Rosa brachten vier Flaschen Wein und mehrere Dosen Bier mit. Ich besorgte Snacks und Knabberzeug. Rosa schob eine Kassette in den Rekorder. Rockmusik. Ich hatte damals das Wort Rock noch nicht gehört.

»Es heißt eigentlich Rock 'n' Roll«, erklärte Rosa. »Total beliebt im Westen.«

Ich kannte eigentlich nur arabische Musik, englische hörte ich bloß bei Rosa und Jack. Diese Musik ist sehr hektisch, dachte ich zuerst. Nach zwei Dosen Bier aber stand ich mitten im Wohnzimmer und imitierte die Tanzfiguren der anderen: Kopf hin und her schütteln und mit den Füßen auf den Boden stampfen.

Das Bier schmeckte zuerst ziemlich bitter, fast ungenießbar. Die zweite Dose war aber schon erträglicher. Die drei Mädels fingen mit dem Wein an. Dann landeten sie bei uns auf dem Sofa und tranken ebenfalls Bier. Eigentlich hatte ich gar nicht sonderlich viel getrunken, ich glaube, nur vier oder fünf Dosen Bier. Trotzdem drehten sich die Zimmerwände um mich herum. Immer schneller, wie in einem Karussell. Die anderen hatten noch mehr getrunken als ich, aber sie wirkten irgendwie ruhiger. Sie lachten jedes Mal, wenn ich mit einem von ihnen redete. Trotzdem war ich gut drauf, als Rosa mich ins Bad mitnahm, meinen Kopf über das Waschbecken beugte und mir Wasser über den Kopf laufen ließ. Danach wollte ich nur noch tanzen.

Dann erinnere ich mich an nichts mehr. Ein vollkommener Blackout. Am nächsten Morgen erwachte ich mit schwerem Kopf, streckte die Arme aus und spürte etwas Weiches neben mir. Ich schlug die Augen auf und fand mich auf dem Fußboden, neben mir Rosa. Ein Traum? Ich schüttelte meinen Kopf, schloss die Augen und öffnete sie noch einmal. Aber Rosa lag tatsächlich neben mir, mit ihrem wunderbaren, nackten goldenen Busen. Verstohlen ließ ich meinen Blick durchs Zimmer schweifen. Außer uns beiden sah ich niemanden. Wir waren nicht völlig nackt, die Unterhosen hatten wir noch an. Haben wir es getan?, versuchte ich mich zu erinnern. Ich glaubte nicht. Rosa schlief tief und fest. Ich betrachtete ihren Körper. Oh Gott! Damit hatte ich nicht gerechnet.

Ich legte meinen Kopf vorsichtig auf ihren Busen. Sie bewegte sich, schlang ihre Arme um meinen Hals und hielt mich fest. Mein Körper fing an zu zittern. Mein Glied wurde steif. Ich wusste nicht so recht, was ich machen sollte. Mein Körper zitterte immer stärker. Auf einmal spürte ich etwas Nasses und Klebriges in meiner Unterhose.

Ich blieb ganz ruhig liegen und versuchte, meine Augen geschlossen zu halten. Plötzlich hörte ich jemanden an die Tür klopfen. Ich riss die Augen auf. Keine Rosa neben mir. War das nur ein Traum? Ich spähte auf die Uhr an der Wand. Es war bereits Mittag. Schnell streifte ich meine Klamotten über und verließ das Zimmer.

»Wer ist da?« Die Antwort kam rasch: »Dein Onkel!« Was für eine Überraschung! Ausgerechnet jetzt. Ich dachte nur an die Dosen und Flaschen, die überall im Wohnzimmer verstreut lagen. »Moment! Ich komme gleich!« Ich hastete ins Wohnzimmer, versteckte die Dosen und Flaschen im Schrank und kehrte zur Haustür zurück. Ich öffnete sie. Mein Onkel nahm mich in die Arme.

Ich wusste sofort, dass etwas passiert war. Onkel Jasim, der Bruder meines Vaters. Was machte er hier? Allein?

»Wo ist meine Mutter?«

* * *

Meine Mutter war nicht nach Bagdad gefahren, wie sie mir gesagt hatte, sondern ins Krankenhaus von Babylon. Sie war schwer krank. Alle wussten, dass sie Krebs hatte. Alle wussten es, nur ich nicht.

Auch mein Onkel war schon seit gestern hier. Mutter wusste genau, wann sie sterben würde. Der Arzt hatte sie schon sehr früh aufgeklärt. Deswegen hatte sie den Verwandten Bescheid gegeben. Sie starb in derselben Nacht, in der ich meine erste wirklich wilde Party gefeiert hatte, in der ich zum ersten Mal Alkohol getrunken hatte, in der ich wahrscheinlich auf einem goldenen Busen geschlafen hatte, in der ich möglicherweise meiner Jungfräulichkeit beraubt und zum Mann geworden war und in der ich mich vielleicht zum ersten Mal in eine Frau verliebt hatte. Gleichzeitig hatte ich meine Mutter für immer verloren.

Es war schwer zu begreifen, dass sie nicht mehr da war. Ihr Tod kam völlig unerwartet. Sie hatte mir kein Wort davon gesagt, dass sie Krebs hatte. Sie sah auch gar nicht krank aus. Seit dem Tod meines Vaters wirkte sie schon immer ein wenig bleich. Ich dachte aber, es sei nur wegen der Müdigkeit. Sie arbeitete sehr viel, um uns beide durchzubringen. Ihr Tod traf mich härter als der meines Vaters.

Die Trauerzeit fand in unserem Haus statt. Am letzten der drei Trauertage sagte mein Onkel, dass ich mit ihm in Nasrijah wohnen solle. Er hatte zwar drei Kinder, konnte aber, wie er betonte, für mich ein Zimmer auf dem Dach seines Hauses bauen lassen.

Nach der Trauerzeit musste ich also rasch mit meinem Onkel weg. Ich konnte mich gar nicht richtig von meinen Freunden und Nachbarn im Kurden-Viertel verabschieden. Es war einfach keine Zeit. Während der Trauertage habe ich Jacks Familie ein letztes Mal gesehen. Rosa und ihre Mutter weinten. Wir sprachen nicht viel miteinander. Rosa erschien mir wie eine erwachsene Frau in ihrem langen schwarzen Trauerkleid. Ich sah sie nur kurz. Ich war niedergedrückt und wusste nichts zu sagen. Ich wollte auch nicht wahrhaben, dass auf einmal alles vorbei sein sollte: Mutter, Freunde und Babylon. Von allem musste ich mich verabschieden.

Der Tag, an dem ich völlig niedergeschlagen ins Auto stieg und mit Onkel Jasim nach Nasrijah fuhr, war der 8. August 1988, genau vier Tage nach Mutters Tod. An diesem Tag tanzten und jubelten die Iraker auf den Straßen. Sie freuten sich, weil der Irak-Iran-Krieg nach acht langen Jahren endlich zu Ende war.

Siebtes Kapitel

Die Orangen des Präsidenten

1990

An einem der vielen immergleichen Abende in Haft redete der Kapo Adnan kurz mit den Wärtern, kehrte dann zu uns zurück und berichtete mit leuchtenden Augen: »Morgen ist der 28. April. Der Geburtstag!«

»Allahu Akbar, Allahu Akbar!«, jubelte Said. »Darauf habe ich monatelang gewartet!« Er fiel auf die Knie, legte seine Stirn auf den Boden und begann, ein Gebet zu sprechen. Auch die anderen alten Häftlinge sprangen auf, als sei ein Djinn in sie gefahren, und fassten sich an den Händen wie Menschen, die sich zum ersten Mal begegneten. Einige umarmten und küssten sich wie junge Verliebte. Sie liefen und riefen durcheinander wie eine Horde wilder Schimpansen im Dschungel. Selbst der verschwiegene Hasan, der seit Monaten so stumm wie die Wände gewesen war, lachte aus vollem Hals. Seine Stimme klang durch die vielen Monate der Stille brüchig, doch unter Husten und Räuspern sprach er: »Gott hat uns noch nicht vergessen!« Und aus seinen winzigen braunen Augen kullerten Tränen der Überwältigung.

»Was ist mit euch los? Wessen Geburtstag zum Teufel?«, fragte ich, weil ich nicht verstand, warum sich alle plötzlich so freuten.

»Keine Ahnung!«, antwortete Ahmad, der die anderen ebenfalls mit verwirrten Blicken musterte.

»Ja, was glaubst du denn? Sicherlich nicht der von Richard Löwenherz oder Salah Al-Din!«, spottete Dhalal, der es sich auf dem harten Zellenboden bequem gemacht hatte und ihn so zart streichelte, als sei er die Haut seiner Geliebten. »Es ist der Geburtstag unseres Führers!«

»Was? Bist du von allen guten Geistern verlassen? Saddams Geburtstag?«, stieß ich angewidert hervor.

»Gibt es etwa einen anderen Führer in diesem Lande? Alles Gute, alles, alles Gute, mein Freund!«, beglückwünschte er mich wie von Sinnen.

»Ich kapiere gar nichts mehr! Seid ihr plötzlich übergeschnappt? Habt ihr einen Lagerkoller oder hat euch die Mangelernährung das letzte bisschen Hirn zerstört? Saddam hat unser Leben in eine Hölle verwandelt! Ihr Idioten! Noch ein Wort und ich schlage euch die Fresse ein!«

»Komm, Dhalal, hör auf, ihn zu verarschen und erzähl ihm endlich, was los ist!«, erwiderte Adnan beschwichtigend.

»An diesem Tag öffnen sich alle Pforten des Himmels«, posaunte Dhalal weiter, als habe er Adnans Aufforderung völlig überhört. »Halbnackte Engel, behangen mit Zigeunerschmuck, werden wild und willig durch die Zellen tanzen und sich uns hingeben wie die Jungfrauen im Paradies ...«

»Höchstens deine Hirnzellen tanzen wild und willig, du Idiot«, beschimpfte Adnan Dhalal, und alle Mitgefangenen brachen in Gelächter aus. Dann wandte er sich mit einem versöhnlichen Blick an mich und Ahmed: »Dann erkläre ich es euch eben. Also, der 28. April ist tatsächlich Saddams Geburtstag und der wichtigste Tag im Leben jedes politischen Häftlings im Irak. In der Vergangenheit wurde an diesem Tag fast immer eine Amnestie für alle politischen Gefangenen erlassen. Wir sehnen diesen Tag also schon seit Monaten herbei. Er ist unsere Chance, hier lebend rauszukommen …«

Es verschlug mir die Sprache, und ich fühlte mich wie betäubt. Die ganze Nacht saß ich stumm an meinem Platz und starrte ungläubig vor mich hin. Sollte das etwa wahr sein? Sollte ich daran glauben können? Ich wünschte mir, einfach die Augen schließen und mich ohne weiteres Nachdenken wie die anderen an der Freude berauschen zu können, doch obwohl ich glücklich und hoffnungsvoll sein sollte, verkrampfte ich mich vor Angst. Ich hatte jeden aufkeimenden Funken Hoffnung, der mich in den vergangenen Monaten angefallen hatte wie ein tollwütiges Tier, so lange unterdrückt wie möglich. Sie war mir lächerlich und fern und zugleich gefährlich erschienen, sodass ich jeden Gedanken daran mit aller Kraft ignoriert hatte. Jetzt aber war sie mir wie ein Schwall eiskalten Wassers ins Gesicht geschüttet worden, und ich spürte, wie langsam das Leben in mich zurückkehrte, sosehr ich mich auch dagegen sträubte. Ich begann mich wieder als Mensch zu fühlen, und nachdem mein Herz monatelang nur wie im Winterschlaf geschlagen hatte, pochte es nun stark und pumpte warmes Blut in meine Adern. Mir wurde kotzübel, und mein Kopf dröhnte.

Später begannen die anderen, mich mit ihrer anhaltenden guten Laune anzustecken. Sie verhielten sich, als befänden wir uns auf einem Kreuzfahrtschiff und würden nur einige Tage Urlaub machen. Sie wurden übermütig, die noch vage Aussicht auf Freiheit war wie ein Irrlicht, dem sie blind hinterherrannten. Sie wurden unvorsichtig und vergaßen, was auf dem Spiel stand: unser letzter Rest an Würde. Unser letztes Quäntchen Geisteskraft, die Kraft, die unsere geschwächten Körper überhaupt noch funktionieren ließ. Wenn alles nur ein Trick war, so würde sie uns herausgerissen wie ein lebenswichtiges Organ, und Saddam würde sie als Perlenkette des Todes um seinen Hals tragen können. Es gab in Gefangenschaft nichts Schlimmeres als Hoffnung, da sie die Gleichgültigkeit, die man sich wie einen Panzer übergestülpt hatte, zunichtemachte und alles Leid, alle Misshandlungen einen wieder schmerzten. Enttäuschte Hoffnung – sie wäre der Todesstoß für jeden von uns gewesen, viel schlimmer als die Nachricht, dass wir den Rest unseres vermutlich kurzen Lebens weiter hier verbringen müssten; denn davon gingen wir ohnehin aus.

Doch ich konnte nicht länger widerstehen: Meine Gefühle waren ein leichtes Opfer der Hoffnung und gaben sich ihr in völliger Naivität hin. Hätte mir vor diesem Tag jemand gesagt, dass ich mich einmal auf Saddams Geburtstag freuen würde, hätte ich ihn wahrscheinlich für wahnsinnig erklärt oder ihn verprügelt.

Früher, als ich noch ein Kind gewesen war, mussten wir Schüler am 28. April nicht lernen, sondern durften singen und spielen. Die Lehrer köderten uns mit Süßigkeiten und Spielzeug, und am Mittag wurde eine große Feier zu Ehren Saddams auf dem Pausenhof der Schule abgehalten. Heute, als Erwachsener im Knast, freute ich mich tatsächlich wieder auf diesen Tag und konnte die ganze Nacht nicht richtig schlafen. Ich träumte von den vielen Dingen, die ich in meinem Leben nach der Entlassung tun würde …

Als mich die bellenden Stimmen der Wärter aus dem Schlaf rissen, fühlte es sich an, als sei eine Schönheit aus meinen Armen gerissen und unser gemeinsames Leben von Bomben in die Luft gesprengt worden. Ich hatte anders als sonst geschlafen, friedlicher, ruhiger, und war nicht so leicht erwacht. Die bloße Möglichkeit einer Amnestie hatte mich verändert. Sie verlangten von uns, lautlos stehen zu bleiben. Der Befehl war eigentlich unnötig, weil wir alle vor Freude und Spannung bereits so gehorsam wie Soldaten beim Appell bereit standen. Nach einigen Minuten erschienen einige Verhörpolizisten und ein Mann, der viele Sterne und Auszeichnungen an Schultern und Brust trug. Vielleicht war es ein General aus dem Präsidentenpalast? Ich hielt den Atem an. Solch hoher Besuch in diesem unbedeutenden Loch musste der Beweis sein. Ich starrte sehnsüchtig auf die Lippen des Generals und wartete darauf, dass er das Wort aussprechen würde, das für uns gleichbedeutend mit Paradies, Leben, Wunder oder Messias war: »Amnestie«, wiederholte ich vorsichtig im Innern. Dieses Wort war unsere Arche, unsere letzte Zuflucht, die uns vor der Sintflut retten würde!

Noch zwei weitere Wärter betraten den engen Flur und legten vorsichtig zwei große Kartons zu Füßen des Generals auf den Boden. Vielleicht sind die Dokumente der Amnestie darin, fragte ich mich. »Ruhe! Und hört zu!«, befahl ein Aufseher. Der General begann zu reden: »An diesem Tag, an dem unser Präsident, unser heiliger Führer, Saddam Hussein, Gott schütze ihn, geboren wurde« – alle Anwesenden klatschten –, »gibt es aufgrund seiner unendlichen Güte ein großzügiges Geschenk für alle Gefangenen. Das Geschenk stammt vom Präsidenten höchstpersönlich, Gott schütze ihn« – noch einmal klatschten alle Anwesenden. »Ich werde es Ihnen nun feierlich überreichen lassen und wünsche Ihnen von Herzen alles Gute für die Zukunft!«

Der General warf einen erhabenen Blick auf Wärter und Polizisten, machte auf dem Stiefelabsatz kehrt und ging nach draußen. Sie folgten ihm wie Ameisen ihrer Königin. Es blieben nur die Wärter mit den beiden geheimnisvollen Kisten zurück. Einer von ihnen trug einen Karton so vorsichtig wie ein Neugeborenes vor unsere Zelle und befahl uns allen, auf dem Boden Platz zu nehmen. Nachdem wir Folge geleistet hatten, fragte er: »Wie viele seid ihr?«

»Zwanzig«, antwortete Adnan.

Der Wärter öffnete die Schachtel, während wir uns alle so eng wie möglich an die Gitterstäbe drängten – jeder von uns wollte als Erster seine »zweite Geburtsurkunde« in Augenschein nehmen. Für einen Moment schien die Zeit still zu stehen. Der Deckel klappte zurück und die Welt, ja das gesamte Universum schrumpfte für uns auf die kleine quadratische Öffnung des Kartons zusammen, in die wir wie Wachsfiguren starrten. Es war, als hätte sich das Tor zur Hölle geöffnet und wir direkt in die feurige Verdammnis geblickt. Es dauerte einen Moment, bis ich wirklich begriff, was ich dort sah. In der Kiste lagen, ordentlich aufgereiht, leuchtende, kräftige, saftige Blutorangen.

* * *

Am Tag der Orangen, als die Erkenntnis auch den letzten getroffen hatte, brach die Hölle los. Wir gebärdeten uns wie wilde Tiere. Einige rissen sich an den Haaren, schrien, heulten oder schlugen ihre Hände gegen die Wand, einer krümmte sich wie unter Krämpfen auf dem Boden, unsere schwachen Hände und Arme griffen zu, um die Wärter zu packen. Diese schlugen mit ihren Schlagstöcken nach uns, und schon nach wenigen Sekunden war unsere Kraft aufgebraucht, da wir körperlich zu schwach waren, um den unbändigen Hass, die unbändige Enttäuschung in unserem Inneren noch ausleben zu können. Ich taumelte und sackte in mich zusammen wie ein nasses Wäschebündel.

So sehr ich auch durch meinen ausgezehrten Körper gezwungen war, reglos zu liegen, so wild tobte mein Geist: Ich wollte Saddam, dieses Mistschwein, diesen Sohn einer trächtigen Flussratte, foltern, seine Haut langsam aufschneiden und Zentimeter für Zentimeter vom Körper ziehen, um sein verdorbenes Inneres und das Fehlen seines Herzens mit eigenen Augen zu sehen. Ich würde sein Gesicht zu Brei schlagen, ihm jeden Knochen in seinem dämonischen Leib brechen und ihn schließlich in ein Säurebad schmeißen, und zusehen, wie er sich langsam unter Qualen auflöste und ein für alle Mal von diesem Planeten verschwand, sodass keine Leiche, keine körperliche Spur von ihm übrig bliebe. Doch nicht einmal diese Grausamkeiten erschienen mir ausreichend; ich spürte, dass mein Geist nicht fähig war, dem Ausmaß von Saddams Sünden eine entsprechende Strafe entgegenzusetzen. Sie überstiegen meine Vorstellungskraft. Wahrscheinlich müsste man seinem eigenen kranken Gehirn die tödliche Medizin entnehmen, die man ihm verabreichen müsste, wenn es gerecht in der Welt zuginge. Auch seine Getreuen waren vor meinem unheiligen Zorn nicht sicher. Jede dieser Ameisen, jede dieser durch Saddams Propaganda programmierten Folter maschinen würde ich quälen, indem ich in Gestalt eines unsichtbaren Dämons in ihren Häusern spukte, ihre Frauen, ihre Mütter, ihre Töchter vergewaltigen und schwängern würde, damit diese Arschlöcher ihr ganzes Leben lang mein Gesicht anschauen müssten, in allen zukünftigen Kindern der Familie. Ich würde einen immerwährenden Fluch über sie aussprechen, der sie und ihre Ahnen bis in alle Ewigkeit verfolgte!

Mir dies eine Weile lang auszumalen, beruhigte mich ein wenig. Andererseits erschrak ich über mich selbst. Ich kannte mich als friedfertigen Menschen, der früher höchstens mal daran gedacht hatte, jemanden ordentlich zu verprügeln, jemanden, der mich, wie damals einige der starken Jungs in der Schule, zuerst und grundlos angegriffen hatte. Doch jemanden töten wollen? Es so klar vor sich zu sehen, als sei es die Wirklichkeit, und tiefe Befriedigung dabei zu empfinden? So weit hatten sie mich gebracht; ich war geistig bereits zu dem geworden, das ich am meisten verachtete.

Die Rachegelüste beherrschten nicht nur mich, sondern hatten praktisch jeden von uns befallen, wie eine Krankheit, die seit Monaten in uns geschlummert hatte und nun plötzlich und gewaltig ausgebrochen war. Ich will nichts damit zu tun haben, verdammt noch mal, rief ich mich selbst zur Besinnung. Ich hatte früher nur meine Tauben und mein einfaches Leben gehabt und war vollkommen glücklich damit gewesen. Aber wie sollte ich den guten Engel in mir bewahren, wenn alle um mich herum, die Polizisten, Wärter und sogar meine Mitgefangenen, die Dämonen in mir weckten?

Manchmal bekam ich Angst vor mir und um mich selbst. Wenn einer von uns starb, wenn ich sehr hungrig wurde, wenn ich nicht mehr schlafen konnte, wenn die Wanzen meinen Körper nicht in Ruhe ließen, oder wenn die Wärter wieder einmal Karate an meinem Gesicht trainierten ... Manchmal beherrschte mich die Wut sehr lange, wie in den Wochen nach dem verhängnisvollen Tag, den man Umerziehungstag nannte:

Ein oder zwei Mal im Monat kam ein Offizier zu uns, der uns auf eine besondere Art und Weise disziplinierte. Einmal mussten wir im Flur auf dem Boden entlang von der Haupttür bis ans gegenüberliegende Ende des Flures robben. Die Uniformierten stiegen auf die Rücken der Häftlinge, sprangen auf ihnen herum und johlten: »Ihr seid Schafe, und wir sind die Wölfe!« Die Häftlinge quälten sich langsam und fast zu Tode gequetscht weiter, während die Soldaten so taten, als würden sie lästiges Ungeziefer zertreten: »Los, weiter, ihr Würmer!« Wer jedoch nicht mehr weiter konnte und aufhörte, sich zu bewegen, musste »umerzogen« werden. Einmal war es der 25-jährige Mohamed, dessen schwacher Körper der Belastung nicht mehr standhielt und der reglos am Boden erstarrte. Er wurde daraufhin sehr hart erzogen – mit den Fäusten geschlagen und schließlich nackt mit Handschellen an der Haupttür aufgehängt, wo er bis zum nächsten Tag wie Schlachtvieh baumelte. Das war im eiskalten Januar. Die Wärter schütteten mehrere Male Wasser über ihn. Sein magerer und schwacher Körper schlotterte die ganze bittere Nacht hindurch. Wir anderen hatten Tränen in den Augen vor Wut und Hilflosigkeit. Das Gefühl des absoluten Ausgeliefertseins schnürte uns allen die Kehle zu. Nicht nur Mohamed hing dort, wir alle wurden in unserem Innern gemeinsam gefoltert, wenn einer von uns in den Genuss der Erziehungsmethoden kam. Am nächsten Tag holte ihn Adnan in die Zelle zurück. Er zitterte zwei Tage und lag im Fieber. Am dritten Tag kamen zwei Wärter und nahmen ihn ohne eine Erklärung mit. Adnan meinte leichtgläubig: »Er kommt sicher ins Krankenhaus.« Seitdem haben wir ihn jedoch nie mehr wiedergesehen. Er war entweder in ein anderes Gefängnis verlegt worden oder er ist an der Umerziehung gestorben und irgendwo in der Nasrijah-Wüste verscharrt worden.

Die Erziehungsmethoden waren höchst unterschiedlich und sehr durchdacht und ausgefeilt. Einmal mussten sich einige Kurden auf dem Flur aufstellen und hundertmal mit lauter Stimme die Parole wiederholen: »Nieder mit Kurdistan!« Währenddessen schlugen die Wärter aus Spaß und Langeweile auf sie ein, bis sie völlig außer Atem waren.

An einem anderen dieser Umerziehungstage erschien ein sehr hübscher junger Offizier mit sechs weiteren Wärtern vor unserer Zelle. Er war, wie ich später erfuhr, Sunnit und hieß Omer. Wir standen alle ängstlich auf und starrten auf den Boden, um jeden direkten Augenkontakt zu vermeiden, da dieser bei den Wärtern oftmals dieselbe provozierende Wirkung wie bei tollwütigen Tieren hatte. Er wippte munter in seinen modischen schwarzen Schuhen auf und ab und musterte jeden von uns eingehend, indem er ganz nah an die Gitterstäbe herantrat. Schließlich blieb er vor Adnan stehen.

»Bist du Adnan?«

»Ja, Herr!«

»Wie ergeht es euch hier?«

»Hervorragend, mein Herr!«

»Ich will alle Mitglieder der schiitischen Parteien sofort im Flur sehen. Die anderen, Kurden oder Kommunisten, bleiben in ihren Zellen. Hast du mich verstanden?«

»Ja, Herr.«

Dann warf er uns einen scharfen Blick zu. »Wer ist Mahdi?«

»Ich«, sagte ich schwer schluckend.

»Du bleibst in meiner Nähe.«

»Ja, Herr!«, stammelte ich fast wahnsinnig vor Angst.

Ich stand zitternd neben ihm und wusste nicht, was da vor sich ging. Aber mein Herz klopfte wie ein wild gewordener Specht an einem Baum.

Als sich die schiitischen Häftlinge im Flur versammelt hatten, befahl ihnen ein Wärter, sich auf den Boden zu setzen. Der Offizier ließ sich ebenfalls nieder und bedeutete mir mit der Hand, mich neben ihn zu setzen. Ein Wärter reichte ihm ein dickes grünes Buch. Er hielt es hoch.

»Wie heißt dieses Buch?«, fragte er.

Kurzes Schweigen.

»Antwort!«, schrie er zornig.

Alle antworteten: »Mafatih Al-Dschinaan – Schlüssel des Paradieses«.

Ich erinnerte mich sofort an dieses Buch. Meine Mutter hatte es auch zu Hause gehabt. Sie hatte darin fast nach jedem Gebet gelesen. In den Moscheen habe ich es auch gesehen. Es lag immer auf den Fensterbrettern und war eine sehr bekannte schiitische Sammlung von Bittgebeten.

Er schlug es auf. »Wir lesen heute gemeinsam das Bittgebet von Kumail. Wer kennt es?«

Er schaute Ahmed streng an. »Du vielleicht?«

»Ja, Herr! Ich kenne es.«

»Erzähl uns, wie es entstand und wann man es lesen soll.«

»Ja, Herr! Es ist von Imam Ali. Er hat es seinem Gefährten und Schüler Kumail beigebracht, und dieser hat es an uns weitergegeben. Daher wird es das Bittgebet von Kumail genannt. Es wird von den Gläubigen bei vielen Anlässen gemeinsam gelesen, insbesondere in der Nacht von Donnerstag auf Freitag.«

»Dann werden wir jetzt gemeinsam lesen! Heute ist schließlich Donnerstag. «

Der Offizier begann zu lesen. Das Gebet war sehr lang. Er las so versunken wie ein tief religiöser Mensch. Oft wiederholte er Abschnitte mehrere Male. Seine Stimme bebte vor Leidenschaft. Einige Zeilen las er sogar mit fast geschlossenen Augen, so als könne er den gesamten Text auswendig.

Oh Licht, Oh Heiligster der Heiligen!
Oh Erster der Ersten und Letzter der Letzten.
Oh Gott, vergib mir die Sünden, die die schützenden Verhüllungen zerreißen!
Oh Gott, vergib mir die Sünden, die Strafen nach sich ziehen!
Oh Gott, vergib mir die Sünden, die Bittgebete zurückhalten!
Oh Gott, vergib mir die Sünden, die Hoffnungen zerschlagen!
Oh Gott, vergib mir die Sünden, die Drangsal nach sich ziehen!
Oh Gott, vergib mir jede Sünde, die ich begangen, und jeden Fehler, den ich gemacht habe!

Als er aufgehört hatte, reichte er mir seine Hand. »Gott segne dich!«, sprach er theatralisch. Er stand auf, schaute alle an und befahl salbungsvoll: »Meine Brüder. Nun begrüßen wir unseren verborgenen Imam, der endlich nicht mehr verborgen ist: Imam Al-Mahdi.« Er zeigte mit der Hand auf mich. Dann kniete er vor mir nieder, legte sich meine linke Hand an den Kopf, nahm meine rechte Hand mit seiner Rechten und küsste sie. Schließlich drehte er sich zu den anderen um und sagte spöttisch: »Bitteschön!«

Die Wärter griffen blitzartig zu den Stöcken und begannen auf die Gefangenen einzuschlagen. »Los! Küsst die Hand von Al-Mahdi!« Einer nach dem anderen legte sich meine vor Abscheu starre Hand an den Kopf, verbeugte sich vor mir und küsste meine Rechte. Die Wärter schlugen jeden, der zögerte oder sich weigerte. Als alle meine Hand geküsst hatten und weinend wieder in die Zellen gegangen waren, quollen auch mir bittere Tränen aus den Augen. Der Offizier, aus dessen fratzenhaftem Antlitz jeder Anschein von Schönheit und Jugend verschwunden war, wandte sich zynisch an mich: »Seine Heiligkeit kann nun in die Zelle gehen«, und schüttelte sich wie ein Pferd vor Lachen.

Achtes Kapitel

Baum der Gemeinheit

1989

Im Al-Schajara-Al-Chabitha – Baum der Gemeinheit – war ich gelandet, so nannte man Nasrijah. Jeder Iraker kannte unendlich viele Witze über diese Stadt, deren Einwohner darin als gemein hingestellt wurden. Die Kinder des Baums der Gemeinheit behaupteten aber, diese Witze seien vom irakischen Geheimdienst verbreitet worden, weil stets viele Leute aus Nasrijah gegen die Mächtigen gewesen seien, in der Vergangenheit und in der Gegenwart. Auch der Dichter Al-Habubi war einer dieser Unruhestifter, dessen vollbärtiges Gesicht ich täglich sah.

Er blickte ernst, seine Gesichtszüge waren völlig bewegungslos, weil er aus Stein und Metall bestand. Noch zu Beginn des 20. Jahrhunderts hatte er sich dann doch bewegt, und das nicht, indem er Gedichte schrieb, sondern indem er mit seinem Schwert gegen die britische Besatzung kämpfte, chancenlos gegen moderne Waffen. Nach der Niederlage der nach ihm benannten Befreiungsbewegung starb er vermutlich an gebrochenem Herzen.

Nicht weit entfernt von der Al-Habubi-Statue im Zentrum von Nasrijah lag das alte, zweistöckige Haus meines Onkels. Auch wenn es zum Zentrum gehörte, lag es dennoch hinter der prächtigen Fassade der Straße: alte, fast zerstörte Häuser, staubige Erde, rissige Asphaltstraßen, schmutzige Wasserpfützen, Tauben, Katzen, Schafe, Hühner überall. Und arme Familien, die dort wohnten. Die wichtigen Gebäude der Stadt sahen anders aus, sauber und wohlgeordnet um die Al-Habubi-Statue herum: Cafés, Gaststätten, Imbissbuden, Hotels, Geschäfte und Autos ohne Ende.

Mein Onkel Jasim verkaufte die Wohnung meiner Eltern in Babylon und baute ein Zimmer für mich auf dem Dach seines

Hauses. Er legte das übrige Geld aus dem Erbe meiner Mutter angeblich für mich auf die Seite, wovon ich aber niemals wieder etwas zu Gesicht bekam. Ich weiß genau, wofür er das Geld rausgeschmissen hat. Man sagt nämlich: »Wenn ein Südiraker Geld hat, dann heiratet er entweder eine zweite Frau oder kauft sich eine Pistole.« Mein Onkel war besessen von beidem, von Frauen und Pistolen. Er heiratete heimlich ein ägyptisches Mädchen, das wesentlich jünger war als er, eine Tänzerin in einem Nachtklub der Stadt. Und er kaufte auch eine amerikanische Pistole. Das restliche Geld ließ er für Alkohol und Wettspiele in Klubs.

Es war wirklich nicht besonders reizvoll, bei meinem Onkel zu wohnen. Wären da nicht seine drei Kinder, hätte ich die Stadt bestimmt gleich wieder verlassen und wäre irgendwohin gegangen. Die Kinder, der Junge und die beiden Mädchen, betrachteten mich als ihren älteren Bruder. Jedes rannte zu mir, wenn ihm irgendetwas zustieß, als wäre ich sein Schutzengel. Auch die Ehefrau meines Onkels behandelte mich wie ihren eigenen Sohn. Ich fragte mich oft, warum eine so liebenswürdige Frau drei Kinder von einem Mann wie meinem Onkel in die Welt gesetzt hatte. Möglicherweise war mein Onkel früher ein anderer Mensch gewesen.

Er war Soldat im Irak-Iran-Krieg gewesen, wie mein Vater. Er war aber nur einige Monate geblieben, dann wurde er entlassen, weil er am Bein durch mehrere Schüsse schwer verletzt worden war. Einmal, als er betrunken nach Hause kam, erzählte er mir, er sei gar nicht von iranischen Soldaten verletzt worden, sondern habe das selbst getan. Als er den ersten Kampf an der Front erlebt hatte, dachte er, dass er das niemals überstehen würde. Deshalb schoss er sich selbst ins Knie. Seitdem lebte er als Zivilist, wenn auch behindert, und arbeitete bei der Verkehrsbehörde als Beamter in der Verwaltung.

Seine Frau, Hamida, war eine Waise und seit ihrer Kindheit Dienerin bei einer reichen Familie in Bagdad gewesen, die mit Gold handelte. Wegen ihrer Zugehörigkeit zu unserer Familie ließen sie die älteren Männer des Stammes meinen Onkel Jasim heiraten. Und seitdem lebte sie mit ihm. Sie trug ausschließlich schwarze Kleider und einen schwarzen Schleier, sogar zu Hause. Ich habe wirklich keine Ahnung, welche Farbe die Haare dieser Frau hatten. Ich erinnere mich, wie sie sich bei der Hochzeit einer unserer Verwandten weigerte, ein farbiges Kleid anzuziehen. Ich glaube, ihre schwarzen Kleider waren ein Symbol für die Trauer um ihr verlorenes Leben mit meinem Onkel.

Jasim und Hamida verkörperten verschiedene Welten. Das konnte man sogar an ihrem Sprachgebrauch erkennen. Die Zärtlichkeit Hamidas und die Härte Jasims. Jedes Mal, wenn mein Vetter Shaker im Stehen pinkelte, und das tat er täglich, rief Hamida: »Wasch deine Nachtigall!« Wenn jedoch Jasim dasselbe forderte, krächzte er lauthals: »Wasch dein Schwert! Säubere deine Hiebwaffe!«

* * *

Alles in meinem Leben hatte sich verändert. Im Vergleich zu Nasrijah war Babylon ein Paradies gewesen. Ich dachte oft an meine Mutter und weinte ab und zu allein in meinem Zimmer, wenn ich ihr Bild ansah, das ich an die Wand gehängt hatte: ein schmales Gesicht, genau wie meines. Schwarze Augen, grüne Tätowierungen über den Brauen, die schmale Nase mit einem kleinen Muttermal, schmale, leicht geschminkte Lippen. Dazu ein schwarzer Schleier, der Haare und Ohren bedeckte. Ich saß oft vor diesem Bild, manchmal habe ich es stundenlang angeschaut, ohne irgendetwas zu denken.

Anfangs hatte ich in Nasrijah keine Freunde, und ich besuchte eine unerträgliche Schule. Im *Thanawiat Al-Dschisch Li-Al-Benin* – Armeegymnasium für Jungen – gab es allen Grund zur Langeweile. Das Gebäude glich einer Militärkaserne. Zwei Stockwerke, die nur aus engen Zimmern bestanden, gefüllt mit Schülern und Bildern des Präsidenten, mit Plakaten an den Wänden, die politische Parolen auf uns herabschrien. Ein großer Hof in der Mitte, eine weiß-gelbe Steinmauer und ein großes Hauptportal aus Metall. Davor stand täglich der dicke Direktor mit einem Offiziersstab in der Hand. Jeder, der nicht pünktlich erschien, bekam einen Schlag auf die Hand oder den Hintern. Und noch schlimmer war, dass die Jungen sich in der Pause fast ausschließlich mit Rangeleien und Fußballspielen beschäftigten oder sich gegenseitig verprügelten.

Freunde in dieser Schule zu finden, war nicht einfach. Es gab viele Gruppen, die sich von früher her kannten. Sie wollten keinen neuen Kameraden. Oder bildete ich mir das nur ein? Der einzige, den ich schon im ersten Monat kennenlernte, war Ali. Er ging in meine Klasse und wohnte in meiner Nachbarschaft. Er versäumte oft den Unterricht, weil er viel und hart arbeiten musste, um seine arme Familie durchzubringen.

Letztlich fand ich aber auch hier einen Freund: Sami Salman. Ich kannte ihn von früher, als ich noch ein Kind war. Mein Vater traf ihn immer, wenn wir in Nasrijah zu Besuch waren. Damals wusste ich nur, dass er ein bekannter Taubenzüchter war. Eines Tages tauchte er bei mir auf.

Es war schon Winter. Die letzten Tage des Jahres 1988 waren angebrochen. Das Land war ziemlich ruhig. Es herrschte kein Krieg mehr, sondern überall Freude. Eine Menge Hochzeiten und unzählige schwangere Frauen. Viele, die zur Armee gegangen waren, kehrten als Zivilisten zu ihren Familien und früheren Arbeitsstellen zurück. Die Basare füllten sich mit jungen Männern, die herumstanden und Mädchen anmachten. Und einige begannen sogar, ins Ausland zu reisen. Die Regierung, die während der Kriegszeit keinem Iraker erlaubt hatte, in andere Länder zu reisen, gab den Leuten nun Pässe, und Sami hatte diese Möglichkeit ausgenutzt und war für einige Monate in verschiedene benachbarte Länder gereist.

Am Tag seiner Rückkehr, als er von meiner Anwesenheit in

Nasrijah erfuhr, besuchte er mich und stand plötzlich vor mir in meinem Dachzimmer. Er sprach mir sein Beileid zum Tod meiner Mutter aus und entschuldigte sich, dass er wegen seiner Reise nicht an den Trauertagen hatte teilnehmen können. Ich wusste nicht, was ich diesem erwachsenen Mann sagen sollte. Er benahm sich, als kenne er mich schon ewig.

»In welchen Ländern warst du denn?«, fragte ich ihn.

»Über Jordanien bin ich in mehrere Golf-Staaten gereist. Es war schön. Aber ich konnte nicht so besonders viel unternehmen und musste arbeiten.«

»Was denn?«

»Ich habe dort verschiedene Taubenzüchter getroffen. Wir wollten ein Lexikon erstellen: Lexikon der Tauben. So etwas gibt es noch nicht in der arabischen Welt. Es gibt zwar haufenweise alte Bücher über Tauben, aber keine Lexika.«

»Das klingt aber komisch: Lexikon der Tauben!«

»Ja, die Tauben haben ihre eigene Welt, die man kennen muss, um diese klugen Vögel wenigstens ansatzweise verstehen zu können, denn sie sind kompliziert wie die Menschen. Dein Vater hat sich gut ausgekannt mit Tauben.«

»Aber mein Vater war kein Taubenzüchter!«

»Muss einer ein Fußballer sein, um die Fußballregeln zu kennen?«

»Nicht unbedingt!«

»Na also, dein Vater wusste viel über Tauben, obwohl er kein Taubenzüchter war. Razaq ebenso! Kennst du ihn?«

»Nein!«

»Aber er kannte deinen Vater. Ein echter Taubenwissenschaftler. Du musst ihn kennenlernen. Er ist ein toller Mensch. Er sitzt jeden Nachmittag in meinem Café. Weißt du, wo das ist?«

»Nein!«

»Frag im Vogelbasar nach dem Taubencafé oder Samis Café! Du wirst es schnell finden. Ich muss jetzt gehen. Bis bald.«

Wenn man im Vogelbasar nach Sami fragte, wusste jeder Bescheid. Er war in Nasrijah bekannter als der Bürgermeister. Er war der Pate der Taubenzüchter, nicht nur ein Taubenkenner, sondern auch der Besitzer eines der bekanntesten Cafés in der Stadt: des Taubencafés. Es war ein kleines Café mit einem großen Ruf, immer voll mit Kunden, vorwiegend Taubenzüchtern aus Nasrijah.

Sami soll meinen Vater wirklich gut gekannt haben. Die beiden waren zusammen zur Schule gegangen. Nach dem Abitur mussten sie aber unterschiedliche Wege einschlagen. Die Bildungsbehörde verteilte die Abiturienten auf verschiedene Universitäten des Landes. Mein Vater bekam eine Zulassung der Universität Bagdad, Sami von der Universität Mosul im Norden. Sami schrieb sich dann aber doch nicht an der Universität ein. Er blieb in Nasrijah, wollte nicht studieren.

»Warum?«, fragte ich ihn einmal.

»Ich bin für ein Studium nicht geeignet.«

Sami freute sich, mich in seinem Café zu sehen, und wir wurden schnell gute Freunde. Durch ihn lernte ich etwas ganz Besonderes: Ich konnte meinen verstorbenen Vater neu kennenlernen. Oft hatte ich das Gefühl, mein Vater und Sami seien ein und dieselbe Person.

»Du bist deinem Vater nicht ähnlich. Weder äußerlich noch innerlich. Dein Vater war ein sehr ruhiger Mensch. Du bist anders, glaube ich. Was willst du eigentlich werden?«

Ich wusste wirklich noch nicht, welchen Beruf ich ergreifen wollte. »Lehrer vielleicht«, sagte ich. Und dann fügte ich noch die zwei Wörter hinzu, die ich in solchen Fällen gern verwendete: »Keine Ahnung!« Und lächelte.

Er überlegte kurz: »Aber du und Muhsin, ihr habt doch etwas Gemeinsames: dasselbe Lächeln. Er hat immer viel und sehr laut gelacht. Du bist genauso.« Ob das zutrifft, kann ich nicht beurteilen, weil ich mich an meinen Vater nicht gut erinnere.

Sami behandelte mich wie seinen eigenen Sohn, als wäre ich adoptiert. Und ich habe es zugelassen. Er lud mich oft zum Essen in seine Zweizimmerwohnung ein, in der er allein lebte, und kochte dann für mich. Er konnte hervorragend kochen und hatte überraschend viele Kochbücher in seiner kleinen Küche. In seinem Wohnzimmer aber fand sich nur Literarisches und Historisches. Drei Bücher waren besonders auffällig hingestellt, die Sami – wie er mir begeistert erklärte – am liebsten mochte: *Das Halsband der Taube* von Ibn Hazm Al-Andalusi, die *Enzyklopädie der Brüder der Reinheit* und ausgewählte Gedichte von Al-Mutanabbi. Außerdem zahlreiche Fotos von verschiedenen Vögeln und zwei Bilder von Männern mit Flügeln. Einer soll Ikaros geheißen haben, er sah kräftig aus. Ein junger alter Grieche, klärte mich Sami auf, der für sich zwei Flügel angefertigt und versucht hatte, damit aus dem Gefängnis zu fliehen. Er flog tatsächlich, aber nicht sehr lange. Er kam der Sonne zu nah, und das Wachs, mit dem die Federn zusammengehalten wurden, schmolz. Er stürzte ins Meer und ertrank.

»Dieser Ikaros ist mein Urgroßvater«, scherzte Sami.

»Und der da, ist der deine Urgroßmutter?«

»Nein. Der ist auch mein Urgroßvater. Aus dem arabischen Raum. Sozusagen der arabische Ikaros. Er heißt Abbas Bin Firnas. Hast du diesen Namen schon mal gehört?«

»Ich glaube schon. In der Schule. Ich erinnere mich aber nicht, was er getan hat. Auch geflogen?«

»Ja.«

»Auch aus dem Gefängnis? Und auch gestorben?«

»Nein. Er wollte einfach nur fliegen. Vielleicht ein Hobby. Er hatte zwei Flügel aus verschiedenen Federn angefertigt, stellte sich ans Ufer eines Flusses und flog los. Ja, und der Rest ist klar. Oder?«

»Gelandet im Himmelreich. Komm bitte nicht auf die Idee, deinem arabischen und griechischen Urgroßvater folgen zu wollen.«

Sami lächelte: »Keine Angst. Ich bin nicht verrückt genug, um so eine Heldentat zu riskieren.«

* * *

Sami gab mir nach einer Woche einen Schlüssel zu seinem Haus. Er erlaubte mir, bei ihm zu übernachten. Ich wohnte seitdem fast immer bei ihm und übernachtete nur noch selten bei meinem Onkel.

Mit seinem langen Gesicht, seinen schwarzen, tiefen Augen, die eine gewisse Trauer ausstrahlten, seinem dünnen Körper und mit dem linken Bein hinkend, war Sami ein Geheimnis für mich. Ich wusste nicht einmal, woher er kam. »Nasrijah ist mein Geburtsort und mein Grab«, antwortete er immer, wenn ich ihn fragte. Wenn ihn aber ein Fremder fragte, antwortete er: »Ich komme aus dem Nichts.« Er redete nicht gern über sich. Hatte er keine Familie, oder eine, die er nicht mochte? Er war nicht wie die anderen Männer als Soldat im Irak-Iran-Krieg gewesen. Sein behindertes Bein bewirkte, dass er nicht eingezogen wurde. Diese Behinderung hatte er seit seiner Kindheit. »Ohne sie wäre ich bestimmt als Leiche an der Front geendet.«

Sami, der aus dem Nichts gekommen ist, soll in den achtziger Jahren zwei Mal geheiratet haben. Seine Frauen verließen ihn aber. Warum, darüber wollte er nicht gern sprechen. Man munkelte, seine Behinderung beträfe nicht nur sein Bein, sondern auch seine Potenz. Aber niemand wusste Genaueres. Ich meinerseits glaubte dieses Gerede nicht, weil ich genau wusste, dass er fast jede Woche ins Freudenhaus ging. Er war gut bekannt mit allen Huren der Stadt, das bestätigte auch sein bester Freund Razaq.

Sami lebte also seit Langem allein und war damit zufrieden. Er arbeitete viel und kam immer spät heim. Wir verbrachten den Freitag zusammen, wenn das Café geschlossen war. Wir unternahmen Ausflüge in die alte Stadt oder ins Zentrum und gingen oft zum Vogelbasar. Oder wir hockten neben dem Taubenschlag auf dem Dach.

Ich fühlte mich wirklich wie sein Sohn, mochte ihn jeden Tag mehr und nannte ihn »Onkel«. Er erlaubte mir alles, was ich wollte, gab mir sogar häufig Taschengeld. Aber nicht direkt. Meist versteckte er es in der Nacht, wenn ich schlief, unter meinem Kopfkissen. Wenn ich ihn fragte, ob er das gewesen sei, antwortete er gelassen: »Nein!« Und lachte. »Gott liebt dich. Er schickt dir Geld vom Himmel. Du musst ihn fragen, welcher Engel es unter deinem Kopfkissen versteckt hat!«

Neuntes Kapitel

Laternen

1990–1991

Obwohl es viele Gefangene gab, war die Dusche nicht oft besetzt. Immer, wenn man unter der Dusche stand, bekam man Hunger und Kreislaufprobleme. Es war auch gar keine richtige Dusche, nur ein Wasserhahn im Klo, der mit einem kurzen Gummischlauch verbunden war. Und der spendete nur kaltes Wasser. Bei uns unter der Erde war es aber sowieso immer kalt.

Ahmed duschte sich einmal fast eine halbe Stunde lang. Als wir in die Zelle zurück mussten, sagte er, ihm sei schwindelig. Adnan schimpfte ihn aus, weil er so lange unter der Dusche geblieben war. Ahmed schlief dann tief und fest. Als man ihn aufwecken wollte, um gemeinsam das Abendgebet zu sprechen, lag Ahmed wie ein Stein auf seinem Platz, tot.

Ahmed fehlte jedem in unserer Zelle. Seine schöne Stimme war plötzlich nicht mehr da. Er hatte immer gern Bittgebete oder Suren aus dem Koran vorgetragen. Ich kannte ihn eigentlich nicht sehr gut. Ich wusste aber, dass er nicht aus Nasrijah, sondern aus Tell-Al-Lahm kam. Wegen seiner einzigartig schönen Stimme durfte er bereits als Kind in der Moschee das Rufgebet vortragen. Und er liebte den Imam Al-Hussein. Er hat uns immer leidenschaftlich von ihm erzählt.

Jedes Jahr am Tag von Ashura, dem zehnten Tag des Monats Muharram, an dem im Jahr 680 der jüngste Enkelsohn des Propheten, Imam Al-Hussein, seine Familie und seine 72 Freunde von 10 000 Soldaten des Kalifen Yazid in Kerbala erbarmungslos niedergemetzelt worden waren, fuhr Ahmed nach Kerbala. Die Mehrheit der Schiiten pilgerte an diesem Tag zur Al-Hussein-Moschee, um dieses Massaker zu betrauern, das dort stattgefunden haben soll. Die Straßen in der Nähe der Moschee waren überfüllt mit Männern und Frauen in schwarzen Trauerkleidern. Frauen, die sich mit der flachen Hand auf Brust oder Gesicht schlugen und schluchzten. Männer, die sich mit ihren starken Fäusten ebenfalls auf die Brust hämmerten und schrien: »Wir opfern uns alle für dich, Al-Hussein!«

»Imam Al-Hussein war der Lieblingsheilige meiner Mutter«, erzählte mir Ahmed einmal. »Eigentlich nicht nur meiner Mutter, sondern aller, die ich kenne. Du magst ihn auch, oder?«

»Ja. Ich hatte immer den Eindruck, wir liebten ihn mehr als den Propheten Mohammed selbst. Ich liebe ihn auch, weil alle Mitglieder meiner Familie ihn lieben. Und weil er eine tragisch-traurige Geschichte hat.«

Lächelnd meinte er: »Irgendwann werde ich dich überzeugen, ein guter Schiit zu werden. Ich glaube, du bist noch nicht verloren.«

»Mal sehen!«

»Meine Mutter – Gott hab sie selig – weinte jedes Mal«, fuhr er fort, »wenn sie nach Kerbala kam. Sie beschwor mich, als ich noch Kind war, ich müsse Al-Hussein in alle Ewigkeit lieben und ihn beweinen. Jede Träne werde mir später einen Palast im Himmelreich sichern.«

An diesem Ashura-Feiertag kochte Ahmeds Mutter einen großen Topf Bohnensuppe und verteilte sie an die Leute, für Al-Hussein. Und für seinen Halbbruder Al-Abbas, dessen Moschee der von Al-Hussein gegenüberliegt, buk sie Al-Abbas-Brot, das sie zusammen mit der Bohnensuppe den Leuten servierte. Ein überaus leckeres Brot, aus Teig gemischt mit Fleisch und Zwiebeln. Imam Al-Abbas, den man auch »Abu-Ras-Al-Har – Der Hitzköpfige« nennt, weil er schnell wütend geworden sein soll, wenn jemand versuchte, einem Kind etwas anzutun, soll in der Schlacht von Kerbala einen dramatischen Tod erlitten haben:

»Als er gerade dabei war, aus dem Brunnen Wasser für die Frauen und Kinder zu schöpfen, wurde er von seinen Feinden überfallen, die ihm Hände und Beine mit ihren Dolchen und Schwertern abtrennten. Heldenhaft hievte er sich arm- und beinlos über den Rand des Brunnens und robbte mitsamt dem Wasser für seine Kinder durch den heißen Sand zurück bis zum Zelt seiner Sippe. Dort angekommen, hauchte er seine Seele aus.«

»Ich kenne die Geschichte sehr gut.«

»Ist zu euch auch ein Qare-Husseini gekommen?«

»Ja. Dafür hat meine Mutter gesorgt. Genau wie deine.«

Meine Mutter war es nämlich, die immer zehn Tage vor Ashura einen Mann nach Hause brachte, den man Qare-Husseini – Husseinvorleser – nannte, und der mit einer unendlich traurigen Stimme aus dem Buch *Die Schlacht von Kerbala* rezitierte. Er trug ein schwarzes Gewand und einen grünen Turban. Auch die Nachbarsfrauen versammelten sich bei uns, um die tragische Geschichte aus seinem Munde zu hören und vom ersten Tag bis zum zehnten, dem Todestag Al-Husseins, ununterbrochen zu weinen. In der vierzigsten Nacht pilgerten wir dann oft nach Kerbala. Jedes Mal waren Tausende von Besuchern vor uns da. Man fand fast keinen Platz für seine Füße. Und das alles, obwohl die Regierung und ihre Polizei durch lästige Straßenkontrollen und Reiseverbote eine Fahrt nach Kerbala zu verhindern suchten.

Trotzdem machten sich viele auf den Weg. Auch meine Mutter wollte unbedingt dort sein, um das Ende der Geschichte zu hören und mitzuerleben, obwohl sie es selbstverständlich schon längst kannte. Dort in der Moschee wurde stets eindrucksvoll und stimmgewaltig vorgelesen, wie Al-Husseins Kopf von seinen Gegnern auf einen Speer gesteckt und triumphierend durch die Städte getragen wurde, und was das Schicksal für seine zurückgelassenen Familienangehörigen Schlimmes vorgesehen hatte. Und die Zuhörer weinten, bis keine Träne mehr in ihren Augen übrig war.

»Weißt du, dass ich ein Qare-Husseini bin? Und weißt du, wovon ich oft träume? Ich will einen heldenhaften Tod, wie den von Al-Hussein und Al-Abbas.«

Ahmed war eigentlich nicht Mitglied einer Partei. Trotzdem war er festgenommen worden, wegen eines Freundes, der mit einer religiösen Partei zusammenarbeitete. Er wusste von dessen Aktivitäten, hatte ihn aber nicht angezeigt, und deswegen wurde er wegen Vaterlandsverrats angeklagt. So nannte man das. Eine derartige Anklage konnte bis zu fünfzehn Jahre Gefängnis bedeuten. Schließlich starb er aber gar nicht so heldenhaft wie seine beiden Vorbilder, sondern wegen einer halbstündigen Wasserschlauch-Dusche.

* * *

Als Shruq Fridon sich nach nur drei Monaten Haft einfach selbst umbrachte, war ich mit den Nerven am Ende. Ich redete fast eine Woche lang nicht, sondern starrte nur apathisch die grauen Wände an.

Shruq, der in der letzten Zelle der Abteilung saß, und ich waren gut befreundet. Oft erzählte er mir auf unserem Flurspaziergang aus seinem Leben und ich ihm aus meinem. Immer wieder wollte er von mir etwas über die Tauben erfahren. Doch sein Leben machte mich verlegen. Er war Kurde und stammte aus der Stadt Arbil im Nordirak. Er liebte diese Stadt und erzählte gern davon.

»Arbil zählt zu den ältesten Städten der Welt«, erklärte er stolz. »Viertausend Jahre alt. Der Name Arbil bedeutet: Vier Götter.«

»Deine Vier Götter habe ich niemals besucht. Leider!«, bedauerte ich höflich.

»Wenn wir noch mal in diese Welt geboren werden, kannst du mich ja besuchen.«

Shruq hatte das Lesen und Schreiben in den Bergen gelernt. Er lebte bei seinem Vater, der wie ein Adler auf den Gipfeln der Berge hauste und kämpfte. Sein Vater Fridon war ein Kämpfer der Demokratischen Partei Kurdistans und oft mit dem großen Kämpfer der Kurden, Mulla Mustafa Barzani, zusammen. Nach Barzanis Tod im Jahr 1979 übernahmen seine Söhne die Führung der DPK. Fridon erkannte sie nicht als Führer der Partei an. Er führte eine Gruppe von zweihundert Männern an und kämpfte auf eigene Faust gegen die irakische Armee, bis er und viele seiner Männer in einem Gefecht ums Leben kamen.

Als sein Vater starb, war Shruq erst dreizehn Jahre alt. Einige Anhänger seines Vaters brachten ihm den Partisanenkampf in den Bergen bei. Seit er siebzehn war, kannte er nur einen einzigen Freund, seine Waffe. »Als Kurde habe ich nicht viele treue Freunde in der Welt«, meinte er. In den Bergen kämpfte er gegen die Regierungstruppen. »Seit ich Kind war, habe ich nur Soldaten gesehen, die unsere Männer umbrachten und unsere Frauen vergewaltigten.«

Später, als Shruq zwanzig wurde, heiratete er eine Kurdin, die mit ihm in den Bergen kämpfte, aber in das Dorf ihrer Familie zurückkehrte, als sie schwanger wurde. Shruq kämpfte weiter. Er lernte Grausamkeiten kennen, die man sich nicht vorstellen kann. Oft sah er mit eigenen Augen, wie die Dörfer in Kurdistan durch Bomben zerstört wurden, und er musste 1988 die großen Giftgasangriffe in der Stadt Halabdscha miterleben. Er war mit anderen Männern unterwegs zur iranischen Grenze, auf der Flucht vor den Luftangriffen der irakischen Armee. Damals wollte das Regime mit der sogenannten Anfal-Operation die kurdischen Partisanen aus Kurdistan vertreiben. Shruq und seine Männer versteckten sich in einer Höhle in den Bergen. Nach drei Tagen, als sie bemerkten, dass die Luftangriffe aufhörten, zogen sie weiter und kamen nach Halabdscha.

»Überall Leichen. Kinder, Frauen, Männer, Tiere. Alle tot. Diesen Anblick werde ich nie im Leben vergessen. Und ich kann keine Worte finden, die dieses Bild beschreiben könnten. Die Stadt war mit Giftgas bombardiert worden.«

Shruq floh in den Iran, blieb aber nur einige Monate dort. Er entschied sich, in den Südirak zu gehen, um von dort aus in den Norden zu seiner Familie zu gelangen. An der iranisch-irakischen Grenze wurde er aber festgenommen und zu uns ins Gefängnis gesteckt.

Als Adnan eines Tages nach dem »Spaziergang« die Flurtür schließen wollte, vermisste er Shruq. Er fand ihn auf dem Klo. Er hatte den Kopf solange gegen die Wand geschlagen, bis er tot umgefallen war.

Seine Zellenbewohner erzählten mir, einen Tag vor seinem Tod sei er von den Verhörpolizisten abgeholt worden, nach einer Stunde aber zurückgekehrt. Er habe nicht sagen wollen, was sie von ihm gewollt hatten, habe aber sehr traurig und niedergeschlagen ausgesehen und die ganze Nacht nicht geschlafen. Er habe ein langes Gedicht an die Wand geschrieben. Das habe ich mehrere Male gelesen, wenn wir unseren Spaziergang hatten, bis ich es auswendig konnte.

DAS LEBEN DER LATERNEN

Eine Mauer wie die südlichen Wälder,
wie die Einsamkeit einer Stadt nach dem Krieg,
wie eine lange Reihe von Bergen aus messerscharfem Stein.
Entschuldige, wie war die Mauer, mein Sohn?!

War sie feuchte Sprache, feuchter Teppich,
Feuchtigkeit des Lebens, das am Deckenventilator hängt?
Entschuldige, feucht war das Herz vom Wasser
der Gespenster.
Feucht war die Welt.
Entschuldige, mein Sohn, feuchte Männer kamen um Mitter-
nacht,
Sie kamen von hinten,
geboren aus der Mündung einer Waffe,
Sand der Wüste, der zum Herzen der Stadt aufsteigt.
Entschuldige, sie waren, wie sie waren.
Und das war die Zeit.
O welche Zeit!
Und welche Pein!
Zittern war das Leben,
Wind waren die Kabel und Stöcke,
Werkzeuge und elektrische Zangen waren auf dem Rücken,
entschuldige, um den Penis,
zwischen den Fingern,
auf der Haut …
unter der Haut.
Was für ein Leben war das, das sich an die Ecke
der Gefängniszelle
und den Boden klammerte?
Entschuldige, an die Hose des Gefängniswärters,
an die Schuhe des Verhörpolizisten,
an die Laus des Gottes.
Entschuldige, mein Sohn, die Erde stand auf den Hörnern des
Generals,
wie ein Schlag ins Gesicht, kreisförmig.
Männer suchten in den Knochen nach einem flüchtigen
Fenster,
nach einer Landkarte der Stadt im Körper,

nach den Wegen der Seele im Fleisch,
nach Kindern, die unter dem Regen spielen.
Entschuldige, ich habe alles gesagt.
Es war so, ich musste es zugeben.
Und nun gebe ich es zu, alles was übrig ist:
Meine Mutter begreift den Krieg nicht
und wir sind das Leben der Laternen,
die die Generäle mit einem Stein
auslöschten.

Shruqs Tod hatte alle meine Hoffnungen zerstört. Er hatte immer gern gelacht, obwohl er ein sehr ernster Mensch war. Nach seinem Tod wünschte ich mir nur noch, ebenfalls sterben zu können. Wie Ahmed einzuschlafen und nicht mehr aufzuwachen. Oder mutig zu sein wie Shruq. Es dauerte lange, bis die Wunden, die Shruqs Tod aufgerissen hatte, allmählich verheilt waren. Jedes Mal brach eine Wunde auf, wenn eine andere verheilt war. Viele Gefangene starben unter der Folter und am Hunger. Einige wenige haben sich selbst umgebracht. Ich musste das immer mit anschauen und fragte mich, wann ich an die Reihe käme!

Doch eines Tages geschah etwas, das alles ändern sollte. Es war in der Nacht, als wir plötzlich Explosionen, das Einschlagen von Raketen und Geschossen hörten. Die Mauern des Gefängnisses erzitterten. Dann plötzlich Stromausfall! Der Krach dauerte die ganze Nacht. Da brachte Adnan die Nachricht, dass der Irak Kuwait schon vor Monaten erobert habe. Und nun seien die USA und viele andere Länder in die arabische Wüste gekommen, um Kuwait zu befreien.

Der Golfkrieg hatte begonnen.

Zehntes Kapitel

Flügel

1989

Im Taubencafé, dessen Einrichtung nur aus ein paar Stühlen, drei Tischen, einem kleinen Taubenschlag und einer winzigen Küche mit Gasherd und Teekocher bestand, trafen sich die wichtigsten Taubenzüchter der Stadt. Von Anfang an bemerkte ich, wie alle Sami mit unendlichem Respekt begegneten. Er soll früher ein Rätsel gelöst haben, das keiner der Taubenzüchter durchschaut hatte.

Mein lieber Mahdi, das war in den achtziger Jahren. Ein Jahr nach dem Beginn des Iran-Krieges, 1981, stellten die Taubenzüchter fest, dass ihre Tauben sich immer seltsamer benahmen. Sie waren plötzlich außerordentlich wild und stritten ohne Grund miteinander. Sie saßen auf den Dächern und zitterten, als erschüttere ein Orkan oder ein Erdbeben die Häuser. Keiner hatte auch nur die leiseste Ahnung, wieso sie sich so verhielten. Eigentlich sind Tauben doch ruhige und ausgeglichene Wesen.

Nun aber hatten sie sich vollkommen verändert. Natürlich waren die Tauben nicht zornig auf die Menschen wegen des Krieges. Das gibt es nur in Märchen und Zeichentrickserien. Es musste etwas anderes dahinterstecken.

Ich habe sie täglich beobachtet. Die Taubenzüchter berichteten über ungewöhnlich hohe Verluste unter ihren Tauben. Immer wieder kam einer und klagte, er habe eine Taube oder gar mehrere verloren, oft zuverlässige Tiere, die ihrem eigenen Dach treu waren. Einige berichteten, ihre Tauben wollten abends nicht in den Käfig. Sie blieben auf der Dachmauer und wurden von Katzen gejagt oder gefressen. Oder sie verflogen sich im Dunkeln und tauchten nie wieder auf.

Derlei Merkwürdigkeiten habe ich auch bei meinen eigenen Tauben erlebt. Ich saß täglich bei ihnen auf dem Dach. Jede neue Auffälligkeit schrieb ich sorgfältig auf. Und eines Tages konnte ich das Geheimnis aufklären.

Es war, als der Sarg eines Gefallenen eintraf. Es war unser Nachbar, ein Friseur. Sekunden nach der Ankunft des Sarges flatterten meine Tauben verschreckt in den Himmel. Das war an sich nicht ungewöhnlich, denn als der Sarg abgeladen wurde, schrien die trauernden Frauen aus voller Kehle, und die Männer feuerten Geschosse in den Himmel ab. Man verabschiedete den Gefallenen mit einem gewaltigen Getöse.

In diesem Moment fiel mir auf, worin das Taubenproblem bestehen musste. Ich stand auf dem Dach des obersten Zimmers und blickte über die Häuser des Viertels. Und schlagartig bemerkte ich: Alles war schwarz. Beinahe an jedem Haus hingen schwarze Trauerplakate an den Wänden über der Haustür, mit dem Geburtsort und dem Todesdatum der Märtyrer. Die Menschen trugen fast ausnahmslos schwarze Trauerkleider. Natürlich mussten die Tauben verstört sein. Sie haben von Natur aus Angst vor schwarzer Farbe. Aber damit noch nicht genug. Da waren auch die Flugzeuge, die täglich über uns hinweg Richtung Iran flogen und wieder zurückkehrten. Sie sahen aus wie große Adler. Und Tauben fürchten Adler. Schließlich gab es neben der schwarzen Farbe, den Metalladlern und dem Lärm einen weiteren Grund: die Wolle. Ja, die Schafwolle. Als ich so von oben das Viertel betrachtete, wurde mir erst bewusst, wie viel Wolle es hier gab. Sie lag auf der Mehrzahl der Hausdächer zum Trocknen. Damals kam fast wöchentlich ein Sarg von der Front. Also musste ein Schaf geschlachtet werden, um die Gäste an den Trauertagen zu verpflegen. Nach der Schlachtung wird die Wolle auf Dächer gelegt, um sie nach der Trocknung verarbeiten zu können. Und so vermehrte sich die Schafwolle im Viertel ebenso schnell wie die Zahl der Märtyrer. Der Geruch der Wolle wirkt aber auf Tauben wie Rauschgift. Er betäubt sie oder regt sie zumindest auf. Sie fürchten die Wolle. Wegen des Wollegeruchs kann eine Taube einen Herzinfarkt bekommen. Das weiß jeder Taubenzüchter auf der ganzen Welt.

So habe ich das Rätsel gelöst. Ich erzähle es stolz den anderen, und ich bin der Pate der Taubenzüchter geworden. Ein Heilmittel gegen die Angst der Tauben habe ich aber leider nicht gefunden. Anfangs dachte ich, sie würden sich daran gewöhnen, genau wie die Menschen. Aber das geschah nicht. Wir Menschen haben uns daran gewöhnt, dass Männer an der Front sterben und im Sarg zu uns zurückkehren. Das wurde im Laufe des Krieges zur Normalität. Es gehörte zum Alltag. Das Leben musste weitergehen. Die Tauben verstanden das aber nicht. Erst als der Krieg endlich vorbei war und kein Sarg mehr kam, fanden sie wieder richtig zu sich selbst.

Ich konnte Tauben schon seit meiner Kindheit gut leiden. Aber seit ich das Rätsel ihres merkwürdigen Verhaltens gelöst hatte, war ich wirklich in sie verliebt.

* * *

Der Ägypter, so hieß ein großer Täuber, war Samis Lieblingstier. Er war groß wie ein Rabe und ebenso schwarz, aber mit weißen Pünktchen auf Kopf und Flügeln. Er hatte lange Beine, einen langen Hals, rote Augenränder und einen langen, kräftigen Schnabel. Er gehörte zur Rasse der Warzentauben. Diese Rasse habe jeder Taubenzüchter gern, erklärte Sami.

»Sie sind die treuesten Tauben der Welt. Sie vergessen nie ihren ersten Platz, genau wie der Mensch, der die erste Liebe nie vergisst. Sie fliegen weg, kehren aber immer wieder zu dem Ort zurück, wo sie geboren und aufgewachsen sind. Deswegen werden sie gern gezüchtet. Man muss sie nur einmal fliegen lassen. Wenn sie zurückkehren, kennen sie ihr Dach für immer und ewig.«

Sami brachte mir die Regeln des Fliegens und Züchtens bei. Er lehrte mich alles, was man braucht, um ein wahrer Taubenkenner zu sein.

Es dauerte nur einige Monate, bis ich das Wichtigste beherrschte. Ich erkannte bald, welche Rasse, welches Geschlecht, welches Alter, welchen Charakter oder welchen Wert eine Taube hatte, sogar im Flug konnte ich das ausmachen. Und mein Meister, Sami? Er stand freitagnachmittags neben dem Taubenschlag und erzählte:

In der ersten Phase der Taubenzucht bringt man den Tauben bei, ihre neue Heimat, den Käfig, das Dach und die Mauer kennenzulernen, wo man Futter und Wasser für sie bereithält. Die Tauben müssen zunächst auf der Dachfläche bleiben. Dann dürfen sie auf die Dachmauer. Innerhalb dieser Dachphase, die zwischen sieben und zehn Tagen dauert, werden den Tauben die Flügel gefesselt. Man nimmt eine Sicherheitsnadel und fixiert einen Flügel, wodurch man die Bewegungsfähigkeit der Hand- und Armschwingen unterbindet. Solange sie das neue Heim noch nicht kennen, versuchen sie nämlich wegzufliegen, um zu ihrem alten Heim zurückzukehren. Und wenn sie wegfliegen, können sie nicht zu ihrem neuen Schlag zurückkehren, weil sie den Weg nicht finden. Also muss man sie fesseln.

Die zweite Phase ist die Flugphase. Wenn man merkt, dass die Tauben nicht mehr aufgeregt sind, sich gut auf dem Dach auskennen und ihren Platz im Käfig haben, befreit man sie von ihren Fesseln. Dabei muss man auf die Jahreszeit achten. Am besten eignet sich ein Sommermittag. Die Tauben fliegen in dieser Zeit nicht weit weg. Sie kreisen nah über dem Haus, weil es heiß ist und sie schnell Durst und Hunger bekommen. Sehr schlecht ist der Herbst, wegen des starken Windes, der die Tauben weit mitnimmt. Auch der Winter ist problematisch. Wegen der Kälte bekommen die Tauben kaum Durst. Der Frühling ist auch nicht gut, weil das Wetter wechselhaft ist.

Außerdem muss man Nistzellen im Zuchtschlag bauen, damit

die älteren Tauben Eier legen und brüten. So werden sie träger und schwerer und fliegen nicht zu hoch oder zu weit weg. Auch lassen die Männchen ihr Weibchen in dieser Situation nicht allein. Sie wechseln sich mit den Weibchen beim Brüten ab. Sie fliegen mit den anderen Tauben, bleiben aber über dem Haus. Man muss immer einige weibliche Tauben auf die Dachmauer legen, deren Flügel gefesselt oder gestutzt worden sind, und ihre Männchen mit der Gruppe fliegen lassen. Die anderen Tauben bemerken das und bleiben über ihnen. Die Tauben haben nämlich gute Augen.

Man verliert immer ein paar Tauben in der ersten Woche der Flugphase. Einige fliegen einfach zu weit weg und finden den Rückweg nicht mehr. Das ist normal. Nach einigen Wochen beginnt dann die Weit-fort-Variante. Dazu erschreckt man die Gruppe mit einem Stock oder einem schwarzen Tuch. So fliegen sie schnell hoch.

Im sechsten oder siebten Lebensmonat kommt die Pubertäts- oder Paarungsphase. Jetzt verliert man viele Tiere, wenn man nicht aufpasst. Die Geschlechtsreife tritt ein. Die Balz des Täubers erkennt man am Aufplustern, Gurren und Vor-dem-Weibchen-Herumstolzieren, am Einkreisen der Täubin und am Halsnicken. Einige Tauben finden schnell einen Partner. Die Mehrheit schafft das aber nicht, und das ist ein Problem. Wenn eine Taube in ihrer Gruppe keinen Partner findet, sucht sie einen bei den anderen Gruppen. Also muss man einen Partner für sie finden, indem man eine Hochzeits-Nistzelle einrichtet. Man nimmt einen Täuber und eine Täubin und sperrt die beiden die ganze Nacht in eine Nistzelle. Wenn der Täuber am Morgen auf die Täubin steigt, ist die Gefahr vorbei. Wenn nicht, muss man einen neuen Partner suchen und beide eine Nacht zusammensperren.

Am Anfang dachte ich, ich würde niemals lernen, mit den Tauben umzugehen. Aber Sami spornte mich an: »Übung macht den Meister.« Und so übte und übte ich, und Sami war mein Meister. Er war mit mir zufrieden und schenkte mir sogar mehrere Tauben. Von seinem Dach aus ließ ich sie fliegen und schaute zu, wie sie am Himmel tanzten. Und manchmal dachte ich, mein Kopf, mein Herz und meine Seele tanzten mit ihnen. Ich konnte sehr gut nachvollziehen, wieso Ikaros und Abbas Bin Firnas unbedingt fliegen wollten. Ich fragte mich oft, ob sie es kurz vor der Abenddämmerung versucht hatten. Diese Zeit hatte nämlich etwas Magisches. Ich liebte diese Zeit, um meine Tauben fliegen zu lassen und sie zu betrachten.

Alle Taubenzüchter ließen um diese Zeit ihre Tauben noch einmal fliegen. Wenn es dann dunkel wurde, mussten die Vögel in den Taubenschlag. Der Himmel sah dann zauberhaft aus. Mit den vielen Taubenschwärmen stieg schwarzer Rauch aus den Schornsteinen. Die Frauen buken immer zur selben Zeit Brot in ihren Steinöfen. Die Farben der Tauben, die Röte des Himmels und der schwarze Rauch, der sich in Grau auflöste, malten ein unbeschreibliches Bild über die Stadt. Ein fast magischer Moment. Sami behauptete, ein solches Gemälde könne man nirgendwo in der Welt finden außer im Südirak.

* * *

Hamida und Jasim waren wütend auf mich. Nicht etwa, weil ich, seit ich Sami kannte, kaum mehr bei ihnen zu Hause war, sondern weil ich nichts anderes im Sinn hatte, als mich mit meinen Tauben zu beschäftigen. Für sie war das eine Schande. Taubenzüchter genossen keinen guten Ruf.

»Der Prophet sagt: ›Taubenzüchter werden das Paradies niemals sehen‹«, behauptete Hamida.

»Wie kommst du denn darauf? Wer hat dir denn so was erzählt?«

»Der Gebetsrufer. Er hat gesagt, dass die Taubenzucht eine Sünde ist. Die Menschen, die sich mit Tauben beschäftigen, verlieben sich in sie und dadurch vergessen sie ihre Mitmenschen und sogar ihren Gott.«

Ich wollte es nicht glauben. Doch als ich Sami und seinen Freund Razaq danach fragte, gaben sie mir ein paar Bücher: »Schau selber nach!«

Hamida und Jasim hatten in der Tat recht. Ich fand mehrere historische Texte, die eine sehr schlechte Meinung über Tauben und Taubenzüchter belegten. Fast alle stammten aus dem Mittelalter und aus Bagdad. Damals waren viele der dortigen Bewohner Taubenzüchter, und die Taubenzucht war offenbar ein religiöses Problem geworden. Deshalb versuchten einige islamische Schulen, eine religiöse Vorschrift zu finden, die das Züchten von Tauben verbot. Die Aussage eines Taubenzüchters vor Gericht soll sogar ungültig gewesen sein. Der Prophet hatte angeblich erklärt: »Das Zeugnis eines Taubenzüchters wird vor Gott nicht anerkannt.«

Ich war wirklich überrascht. Ich hätte niemals gedacht, dass die Taubenzucht so schlecht angesehen war. Noch heute verheiraten viele Eltern ihre Töchter nicht gern mit einem Taubenzüchter.

»Man sagt, die Taubenzüchter lügen, wenn es um eine Taube geht«, erklärte mir Razaq. »Sie streiten wegen einer Taube. Sie sind bereit, alles zu riskieren wegen einer Taube. Und ein Taubenzüchter zu sein, sei für die Taubenliebhaber nicht Hobby, sondern Beruf. Sie jagen fremde Tauben und verkaufen sie und verdienen Geld damit, auch wenn sie genau wissen, wem die gefangene Taube gehört. Sie verkaufen die erjagten Tauben sogar an ihre Besitzer zurück. Außerdem waren gerade die Taubenzüchter früher als Straßenräuber bekannt.«

»Ist das tatsächlich so?«

»Hör mal zu!«, versicherte Sami. »Mit einem Messer kann man töten oder Obst schneiden. Jedes Ding in dieser Welt hat zwei Gesichter. Und ein Taubenzüchter eben auch. Man muss selbst das Gesicht wählen, das einem gefällt! Ich gebe zu, ein Taubenzüchter kann viele schlechte Eigenschaften haben. Aber nur aus der Sicht eines Menschen, der niemals vom Fliegen geträumt hat. Es gibt überall schlechte und gute Menschen.«

»Weißt du was, Mahdi?«, fuhr Sami fort. »Die Menschen werden niemals aufhören zu schwatzen. Sie sind so und bleiben so. Aber ich erzähle dir jetzt etwas, was du für dein ganzes Leben bewahren kannst. Es ist eine kleine Geschichte von Imam Jafer Al-Sadiq. Einmal kam jemand und sagte zu ihm, die Leute würden ihn beschimpfen, weil er Schiit sei und Al-Sadiq folge. Der Imam antwortete: ›Wenn du eine Perle in der Hand hast und die Menschen sagen, es sei nur ein Stein, schadet dir das? Und wenn du einen Stein hast und die Menschen behaupten, er sei eine Perle, hilft dir das? Glaub an das, was du in der Hand hast.‹ Das hat Al-Sadiq vor Jahrhunderten gesagt, und ich sage dir das heute: Glaub an dich und an das, was du hast, und lass die anderen sagen, was sie wollen.«

Also blieb ich bei meinen Tauben. Ich liebte sie. Eine braune Taube, die sehr hübsch aussah, habe ich Haiat genannt. Eine andere, weiße, hieß Rosa. Wieder andere Muhsin, Jack, Hamida, Sami und Razaq … Ich besaß alle meine geliebten Menschen als Tauben. Wie hätte ich sie also nicht lieben können? Mein Onkel und seine Frau mussten mich eben so nehmen, wie ich war.

Ich begann schließlich mit jedem über Taubenzucht zu reden, überall verbreitete ich nur Gutes über Tauben und ihre Kenner, sogar in der Schule. Die Tauben seien schön, die edelsten Wesen der Welt und hätten einen geheimnisvollen Duft. Weil ich von nichts anderem mehr redete, haben mir die Leute im Viertel einen neuen Namen gegeben, den ich sehr mochte, obwohl sie mich eigentlich damit hatten ärgern wollen. Seither heiße ich nicht mehr Mahdi Muhsin, sondern Mahdi Hamama – Mahdi Taube.

Sami fand meinen neuen Namen auch sehr schön. Er nannte mich gern so. Und wenn man mich suchte, hatte man mit meinem alten Namen bald kaum mehr eine Chance. Aber wenn man in der Al-Habubi-Straße nach Mahdi Taube fragte, zeigte jeder mit dem Finger auf Jasims oder auf Samis Haus, auf das Dach mit den Tauben oder auf das Taubencafé.

* * *

Er ist ein Iraker sumerischer Abstammung, der von einem assyrischen Pferd auf einen babylonischen Stein fiel und daraufhin einen mesopotamischen Vogel bekam. So hat Razaq Sami einmal beschrieben. Alle im Taubencafé lachten darüber. Sami selbst hat sogar so laut gelacht, dass ihm Tränen über die Wangen liefen. Razaq hatte recht. Sami war ein einzigartiger Mensch. Razaq, Samis wahrer Freund, war aber auch ein besonderes Geschöpf. Er war genauso alt wie Sami. Auch zwischen uns entstand eine tiefe Freundschaft, durch Sami und die Tauben.

Razaq war ursprünglich Inder, lebte aber im Irak wie ein Iraker. Immer hatte ich das Gefühl, er sei mehr Iraker als viele Iraker selbst. Keiner kannte die irakische Geschichte so gut wie er. Als Geschichtslehrer war das natürlich auch sein Job. Sami sagte oft: »Wenn alle Inder wie Razaq wären, dann würde ich mir wünschen, Inder zu sein. Und wenn alle Iraker wie Razaq wären, dann würde dieses Land eine neue mesopotamische Legende erleben.«

Mustafa, Razaqs Vater, soll eine irakische Legende gewesen sein. Und das, obwohl er Inder war. Mustafa kam Anfang des 20. Jahrhunderts als Soldat der britischen Armee in den Irak, als die Briten die Türken verjagt hatten und den Irak regierten. Er war damals achtzehn Jahre alt. Er blieb aber nicht lange in der britischen Armee, sondern wechselte die Seite und ging zu den irakischen Partisanen, um mit ihnen gegen die Engländer zu kämpfen. Vielleicht weil er Muslim war, aber die Briten waren auch in Indien Besatzungsmacht. Er kämpfte also gegen dieselben Besatzer, ob im Irak oder in Indien.

Dann lebte er in Qlat-Sukr beim Al-Hamid-Stamm. Man sagte, er habe die arabische Sprache sehr schnell gelernt und beherrsche sogar die Umgangssprache. Keiner hielt ihn für einen Inder, wenn er sprach. Der Al-Hamid-Stammesführer gab ihm seine einzige Tochter zur Frau. Die beiden lebten lange dort und bekamen viele Kinder. Später zogen sie nach Nasrijah.

Dort lernte Mustafa den jungen Fahad kennen. Mit ihm und einigen anderen hat er die erste Partei im Irak gegründet: die Irakische Kommunistische Partei. Mustafa soll das erste Manifest der Partei geschrieben haben, das Fahad dann unterzeichnete und veröffentlichte. Offiziell hieß es immer, Fahad sei der Verfasser. Razaq aber behauptete, das sei eine Geschichtsfälschung. Sein Vater habe es geschrieben, weil er der älteste unter den Parteigründern war. Und das sei im Irak Tradition. Dem Ältesten gehöre immer der erste Schluck oder Bissen.

Mustafa kämpfte dann lange mit der Partei gegen das irakische Königreich und dessen britische Verbündete. Als die erste irakische Republik gegründet wurde, bekam er eine Ehrenmedaille. Der erste irakische Präsident, Abdel Karim Qasim, hat ihn 1959 ausgezeichnet. Danach wurde er Diplomat in Pakistan. Nicht in Indien, weil er aus einem Gebiet stammte, das nach der Teilung Indiens zu Pakistan gehörte.

Sein späteres Leben verlief dann nicht mehr so schön. Nach dem Putsch der irakischen Nationalisten, der Baath-Partei und der Militärgeneräle wurde Präsident Qasim am 9. Februar 1963 gehängt und Mustafa ins Gefängnis gesperrt. Er wurde zwar nach einem Jahr wieder entlassen, war jedoch sehr krank. Er soll im Gefängnis gefoltert worden sein und war einige Jahre ans Bett gefesselt, bis er 1967 starb. Als 1968 die Baath-Partei an die Macht kam, musste Mustafas Familie unterschreiben, dass kein Familienmitglied in irgendeiner Weise politisch tätig werden würde. Falls doch, würden sie nach Indien oder Pakistan abgeschoben. Diese Verzichtserklärung musste die Familie 1980 noch einmal unterzeichnen, als Saddam Hussein Führer der Baath-Partei und des ganzen Landes wurde.

Mustafas Kinder sind alle zwischen 1969 und 1980 ins Ausland gegangen, auch seine Frau. Sie wanderte mit einer ihrer Töchter nach England aus. Nur Razaq blieb, weil er in eine Krankenschwester verliebt war, Laila, die hübsch und liebenswürdig war. Er heiratete sie und bekam zwei Kinder mit ihr. Die Leute nannten ihn und seine Familie »die kommunistische« oder auch oft »die indische Familie«.

Bei dieser indischen Familie war ich oft zu Besuch. Ich genoss es, mit den Kindern zu spielen und von Laila umsorgt zu werden. Sie freute sich immer, mich zu sehen. Sie schien glücklich zu sein. Bevor sie Razaq kennenlernte, hatte sie ein schweres Leben gehabt und trotzdem niemals ihre Schönheit eingebüßt. Sie kam aus einer großen Familie und war das älteste Kind. Der Vater arbeitete im Basar als Obsthändler, und die Mutter war Hausfrau. Laila konnte nach der Mittleren Reife nicht das Gymnasium besuchen und ihren großen Traum verwirklichen, Ärztin zu werden, weil der Vater für ein Jahr ins Gefängnis musste, wegen angeblicher Überteuerung der Ware. In den achtziger Jahren hatte die Regierung für alle Waren im Land einen bestimmten Preis festgesetzt. Lailas Vater verkaufte aber einmal die Orangen in seinem Geschäft über dem staatlichen Richtpreis und wurde von einem Preiskontrollbeamten erwischt. Dafür landete er im Abu-Ghraib-Gefängnis. Laila musste anstelle ihres Vaters im Geschäft arbeiten. Und als er wieder freikam, entschied er, sie müsse ihm weiterhin helfen. Die Familie war groß, und er schaffte es nicht mehr allein, alle durchzufüttern. Er könne, sagte er, seine Tochter nicht unterstützen, bis sie Ärztin sei. Laila besuchte nebenbei eine Krankenschwesternschule, um so schnell wie möglich eine einträgliche Arbeitsstelle zu bekommen. Damals, während des Irak-Iran-Krieges, brauchte das Land Unmengen von Krankenschwestern für die vielen Verletzten und Kriegsinvaliden. Nach der Prüfung arbeitete sie auch tatsächlich als Krankenschwester im Hospital von Nasrijah. Sie half zusätzlich weiter ihrem Vater, der im Laufe der Zeit eine schwere Wirbelsäulenerkrankung bekam. Bald konnte er das Bett nicht mehr verlassen und starb schließlich.

Von da an musste Laila allein für die Familie sorgen. Wegen ihrer außerordentlichen Schönheit zog sie eine Reihe von Verehrern an. Doch sie wies alle ab, bis der braune irakisch-indisch-pakistanische Razaq ihren Weg kreuzte. Er hatte eine schwere Bronchitis und musste zwei Tage im Krankenhaus liegen. Er zeigte aber, im Gegensatz zu allen anderen Männern, keinerlei Interesse an ihr. Später lächelte sie verschwörerisch: »Das war's, was ich vermisst habe. Einen Mann, der mir keine Beachtung schenkt.«

Sie sprach Razaq an, der nie geglaubt hatte, jemals eine so schöne Frau bekommen zu können. Er hielt um ihre Hand an. Sie sagte zu, aber unter einer Bedingung. »Mein Gehalt gehört nicht uns, sondern meiner Familie, bis meine Geschwister erwachsen sind.« Diese Bedingung ließ Razaq sie noch mehr lieben. Und seitdem lebten sie zusammen.

Wie ich Sami dankbar bin, weil er meine Liebe zu den Tauben entfacht hat, muss ich mich bei Razaq bedanken, weil er mich zum Lesen brachte. Er gab mir fast jede Woche ein Buch. Er war ein echter Bücherwurm und auch Übersetzer, sogar ein ziemlich bekannter, da er viel Prosa und Lyrik aus dem Englischen ins Arabische übersetzte. Vieles davon habe ich gelesen, und am besten gefielen mir die Gedichte von Tagore.

In seiner Dreizimmerwohnung hatte Razaq sich ein Arbeitszimmer eingerichtet. Darin gab es nichts als einen Tisch mit Schreibutensilien, Stühle, Taubenbilder und Kassettenrekorder. Und vier Wände, die man nicht sehen konnte, weil die Bücherregale bis unter die Decke reichten.

Razaq war kein Taubenzüchter. Er liebte die Tauben nur. Durch ihn habe ich herausgefunden, welchen Beruf ich ergreifen wollte. Ich dachte ernsthaft daran, Lehrer zu werden. Wie mein

Vater. Aber nicht für Geografie, sondern für das Fach, das Sami ursprünglich studieren wollte: Literatur.

»So würdest du beide, deinen Vater und Sami, beerben«, sagte Razaq.

Ich dachte, ich könne auch Literatur übersetzen und weiterführen, was Razaq begonnen hat. Oder selbst literarische Werke verfassen. »Warum nicht? Du kannst das sicher, aber du müsstest wirklich etwas dafür tun«, ermutigte mich Sami. Ja, ich musste etwas tun. Seit ich Sami, Razaq und die Tauben kannte, hatte ich nämlich nicht mehr viel Zeit auf meine Schularbeiten verwendet.

Elftes Kapitel

Befreiung

1991

Obwohl draußen der Krieg tobte, herrschte in unserem unterirdischen Loch ein seltsamer Friede. Seit Kriegsbeginn kam es mir vor, als wolle sich die Welt in diesem Inferno selbst berichtigen. Die Wärter, so schien mir, hatten sich in normale Menschen zurückverwandelt und waren plötzlich keine bewaffneten Affen in Uniform mehr. Sie kümmerten sich nicht mehr um uns – im polizeilichen Sinne – und ließen uns in Ruhe. Keine Folter mehr, keine außergewöhnlichen Maßnahmen. Man konnte die Verwandlung in ihren Gesichtern und an ihrem Verhalten erkennen. Sie wirkten nervös, beinahe ängstlich.

Ein Wärter namens Sufian, der früher immer vor Freude zu zittern schien, wenn er uns mit dem Stock schlagen oder mit dem Fuß treten durfte, begrüßte uns auffallend zuvorkommend. Er stand oft vor der Haupttür und rief: »Salamu Aleikum!« Dieser Wärter, von dem ich glaubte, dass er nicht wusste, wie viele Buchstaben die arabische Sprache hat, begann wundersamerweise, die Gefangenen über ihre Vergehen, ihr Leben und ihre Träume auszufragen. Er unterhielt sich scheinbar gern mit uns, obwohl ein Wärter niemals mit einem Gefangenen Gespräche führen durfte. Sufian hatte uns einmal – vielleicht ohne Absicht – eine Menge wertvoller Informationen verraten. Adnan, der in dieser Zeit häufig mit den Wärtern redete, um etwas über die Kriegslage zu erfahren, hatte ihn nach Neuigkeiten gefragt. Da erzählte ihm Sufian, die irakischen Truppen hätten wegen der starken amerikanischen Luftangriffe, die ihre Ziele genau trafen, keine Orientierung mehr. Das gesamte kuwaitische Gebiet sei bereits befreit. Die Alliierten seien unterwegs ins irakische Landesinnere Richtung Bagdad. Viele Verhörpolizisten, Militärführer und selbst Minister seien aus den Städten verschwunden, hätten sich irgendwo versteckt oder seien ins Ausland geflohen. Man höre sogar Gerüchte, der Präsident und seine Familie seien fort.

Sufian hörte auf zu erzählen. Er ging weg, kehrte aber nach einigen Minuten zu Adnan zurück. »Weißt du, ich will seit Tagen etwas sagen. Aber ich schäme mich. Womit soll ich anfangen? Es ist schwer. Ich will sagen, wir sind, ich meine wir Wärter, nur kleine Beamte. Kleine Ameisen. Machen, was die Großen, die Elefanten und Dickhäuter, von uns verlangen. Ich habe euch immer geschlagen. Ich musste aber. Oder ich wäre selbst aufgehängt worden. Glaub mir! Einmal hat der Wärter Salim, du kennst ihn, einem Gefangenen ein Fladenbrot mit gekochtem Ei gegeben. Als die Verhörpolizisten es mitbekamen, haben sie Salim eine Stunde am Deckenhaken aufgehängt und mit dem Elektroschockgerät gequält.«

»Ich weiß. Wir wissen alle hier, dass du nur ein Beamter bist. Oder eine Ameise, wie du sagst. Du brauchst dich nicht zu schämen. Es ist so. Wenn du es nicht machst, tut es jemand anders.«

»Danke!«

»Aber sag mal, was machst du, wenn die alliierten Truppen tatsächlich herkommen?«

»Keine Ahnung!«

»Wenn es so weit ist, dann rette deine Haut. Du hast ja Familie!«

»Ja. Eine Frau und zwei Kinder.«

»Die Amerikaner werden nicht nach dir suchen. Sie wollen sicher nur die großen Köpfe, die dicken Elefanten. Warte ab, bis sich alles in den nächsten Tagen klärt.«

»Bitte, erzähl keinem, was ich dir gesagt habe.«

»Dein Geheimnis ruht auf dem Meeresgrund, in den Tiefen des Ozeans, im Unterdeck eines versunkenen Schiffs, in dem ein mit sieben Schlössern gesichertes Kästchen im Bauch eines gewaltigen Fisches liegt.«

»Danke!« Sufian atmete sichtlich auf.

»Kann ich dich um etwas bitten?« Adnan hatte Mut gefasst.

»Wenn ich kann.«

»Fladenbrot mit Ei oder Kartoffeln oder irgendetwas anderes!«

»Ich versuche es.«

Am nächsten Tag bekam Adnan zwei große Fladenbrote und acht Eier. Er behielt ein Brot und zwei Eier und verteilte den Rest an die anderen Zellenbewohner. Das war wie ein Feiertag für uns. Wir freuten uns sehr. Nach so langem Hunger war das wertvoller als Gold. Adnan erzählte uns schließlich das Geheimnis, das eigentlich im Bauch des einzigartigen Fisches bleiben sollte. Seitdem begannen wir plötzlich, psychisch gestärkt, zu träumen. An die Befreiung wollten wir aber noch nicht wirklich glauben. Es klang alles unmöglich und unvorstellbar, fast märchenhaft. Trotzdem spürte ich, bald würde etwas passieren.

* * *

Als die Glühbirnen nicht mehr funktionierten, weil es im ganzen Land keinen Strom mehr gab, war es wieder Sufian, der die Ursache ausplauderte. Die Kampfflugzeuge der Alliierten hätten das zentrale Elektrizitätswerk zerstört. Neue Hoffnung floss durch das Dunkel und durch unsere Adern. Unsere Fantasie lebte auf. Einige behaupteten, die Amerikaner marschierten in alle Richtungen, sogar nach Bagdad, und schöben den gesamten riesigen Republikpalast mit Bulldozern unter Saddams Arsch weg. Einige wenige befürchteten, Saddam und die Baathisten würden siegen und wir das Licht der Sonne niemals wiedersehen. Diese Pessimisten änderten freilich ihre Meinung, als sie Sufians Nachrichten hörten. Said jedoch war am Anfang des Krieges auf ein ganz anderes Szenario gekommen, das sich unter den Gefangenen wie ein Lauffeuer verbreitete.

»In den alten Büchern gibt es ein Zeichen für das Nahen des Weltendes. Ein Herrscher aus dem Zweistromland, dessen Name mit S beginnt, kämpft gegen die Träger der schwarzen, gelben, roten und weißen Flaggen. Die Armeen dieser Länder mitsamt ihren Rittern, Schiffen, Waffen und Flaggen werden alle im Wasser versinken. Dieser S wird der letzte diktatorische Herrscher auf unserer Erde sein. Nach ihm kommen nur noch Imam Al-Mahdi und Jesus Christus und danach das Ende der menschlichen Geschichte. In den anderen Büchern wird S Al-Aoer Al-Daddschal – Der Einäugige Betrüger – genannt. Es gibt sehr unterschiedliche und zahlreiche Überlieferungen und Berichte darüber, warum er so genannt wird, wie er aussieht und wo und wann er auftaucht. Einer der Berichte behauptet, er werde Der Einäugige Betrüger genannt, weil er im Schlaf nur ein Auge schließt und mit dem anderen alles ganz genau beobachtet. Wie Saddam. Er ist uneinschätzbar. Unheimlich. Ich glaube fest daran, dass dieser S Saddam ist. Er hat alle seine Feinde in den Arabischen Golf gelockt, um dort aus ihnen Fischfutter zu machen.«

Adnan ergänzte diese Prophezeiung murmelnd: »Wenn das stimmt, dann ist dieses Loch unser Grab. Woher hast du so einen Mist, Said? Ich kriege eine Gänsehaut.«

Doch im Arabischen Golf wurden weder Ritter, Schiffe, Waffen, Flaggen noch Armeen versenkt. Das konnten wir eines Tages mit Gewissheit feststellen.

Der Tag dieser Gewissheit begann seltsam. Wir hörten gar nichts von draußen. Keiner der Wärter kam zu uns, um uns für den Spaziergang auf den Flur zu lassen. Adnan versuchte, durch das kleine Loch in der Tür etwas zu sehen, aber vergeblich. Er rief einem aus der letzten Zelle zu, er solle durchs Schlüsselloch schauen, ob sich jemand im Vorraum befinde.

»Und, siehst du was?«

»Ich sehe den Vorraum. Keiner da.«

»Okay. Hört mir alle zu. Wir bleiben ruhig sitzen! In einigen Stunden muss das Essen kommen. Dann werden wir erfahren, was los ist.«

Alle schwiegen. Adnan betrachtete uns. Er holte Luft, als wolle er etwas sagen, schwieg jedoch.

»Was willst du uns sagen, Adnan?«, fragte ich.

Er erhob sich ächzend. »Ich glaube, die Amerikaner sind da. Ich bin seit mehr als zwei Jahren in diesem Loch, doch so was hat es noch nie gegeben. Einfach keine Wärter da. Aber das heißt nicht, dass wir gerettet sind. Wohl eher sind wir so gut wie tot. Unter der Erde. Ich weiß nicht, wie man uns hier finden soll!«

»Wir sind im Gefängnis. Irgendwo in Nasrijah. Ob unter oder über der Erde, wissen wir nicht. Es könnte sein, dass es einen Eingang gibt. Einen sichtbaren Eingang, der zu uns führt. Sei bitte optimistisch!«

Es herrschte Totenstille. Jede Stunde fragte Adnan, ob jemand etwas gehört oder gesehen habe. Nichts. Auch nach Stunden kam das Essen nicht. Der Hunger machte sich dieses Mal aber nicht so stark bemerkbar. Ich vergaß ihn völlig. Die Sekunden rückten immer langsamer vor. Dann kam der große Krawall. Zahllose Schüsse. Einschläge ganz nah. Danach wieder weiter entfernt. Ein Gefangener begann wie verrückt zu brüllen: »Wir sind hier! Helft uns! Wir sind hier! Hilfe!«

Und alle anderen taten es ihm gleich. Wir standen auf, schlugen hysterisch an Tür und Wände und schrien uns die Seele aus dem Leib. »Hilfe! Help us, please!«

Die Geschosse kamen wieder näher. Draußen Stimmen. Und Schritte, sehr nah. Wie auf Kommando hörten wir plötzlich alle auf zu schreien. Ich hörte nur noch das starke Klopfen meines Herzens und das heftige Ein- und Ausatmen meiner Mitgefangenen.

Plötzlich drang eine Stimme an unser Ohr. »Lebt da noch jemand?«

Keiner muckste auf. Absolute Stille. Nach einigen Sekunden rief Adnan: »Ja. Wir sind hier.«

»Keine Angst. Ruhig bleiben! Setzt euch auf den Boden. Verstanden?«

»Ja«, antwortete Adnan.

Es folgte eine Serie von Schüssen, deren Echo stark in unseren Ohren nachhallte. Dann Lärm an der Haupttür. Das Poltern von Stiefeln näherte sich. »Weg von der Tür! Macht Platz!«, kommandierten mehrere Stimmen gleichzeitig.

Eine Salve von Geschossen donnerte gegen die Zellentür. Ich schloss die Augen und hörte eine kräftige Stimme: »Friede sei mit euch!«

Als ich die Augen wieder öffnete, stand ein Mann in Zivil vor uns mit einer Waffe in der Hand.

»Wir sind politische Häftlinge. Wer sind Sie?«, fragte Adnan.

»Amerikaner?«, fragte ein anderer Gefangener.

»Iraker. Nicht Amerikaner. Ihr seid frei. Die Regierung ist gestürzt. Untergegangen. Es gibt einen Aufstand im ganzen Land. Wir sind eure Brüder.«

Atemlose Stille. Ich fühlte, wie mein Körper sehr schwer wurde. Eine völlige Leere beherrschte meine Seele. Keine Empfindung. Kein Gedanke. Ich nickte mit dem Kopf und weinte. Auf einmal weinten alle. Aus den Augen des Befreiers kamen ebenfalls Tränen. Der Mann hob seine Waffe und schrie: »Allah Akbar – Gott ist groß!« Und alle begannen zu jubeln.

Zwölftes Kapitel

Rückkehr

1991

Die Welt außerhalb der Mauern war urplötzlich wieder da, überwältigend in ihrer Einfachheit, eine Welt, die vorher nur noch eine Traumwelt gewesen war. Ich hätte nie gedacht, auf diese Art befreit zu werden. Alles in mir war auf einmal wie ein stilles Wasser. Ich konnte mich nicht glücklich fühlen. Allerdings war ich auch nicht traurig. Und alles, was ich dem Aufständischen und Befreier sagen konnte, wie die meisten anderen Gefangenen auch, war nur ein einziger Satz: »Ich will nach Hause.«

Ich ließ das Haupttor des Gefängnisses hinter mir. Das ganze Gebäude lag im Dunkeln. Die Laternen in den Händen der Aufständischen beleuchteten den Weg nach draußen. Ich blickte hinter mich. Das alte osmanische Gebäude mitten in einer Kaserne blieb dunkel und leer zurück. Dort drinnen war ich eingesperrt gewesen. Hinter diesen gelben Mauern. In einem kalten Grab. Von einer übermütigen Menschenmenge wurde ich zu den vielen Autos geschoben, die auf dem Parkplatz gegenüber dem Gebäude standen.

Ich stieg in einen Minibus, Adnan mit mir. Der Fahrer fuhr mit quietschenden Reifen los. Er sprach die ganze Zeit über den Widerstand, den er einmal Revolution nannte und ein anderes Mal Aufstand. »Die Regierung ist weg. Alles vorbei. Die Baathisten sind geflohen wie die Ratten. Den Bürgermeister haben wir aber erwischt. Der Feigling. Er hatte Frauenkleider an und wollte sich verdrücken. Wir haben ihn im Palmenhain gestellt …«

Der Fahrer redete die ganze Zeit, ohne Punkt und Komma. Ich wollte nicht zuhören, nur die Umgebung anschauen. Die Stadt war fast völlig in Finsternis gehüllt. Die nackte gelbe Erde vor der Stadt schien in der Dunkelheit aschgrau. Überall loderten Flammen auf. Am Straßenrand haufenweise kaputte Panzerwagen. Ich konnte im Dunkeln nichts Genaues erkennen. Aber ich spürte deutlich, dass alles verändert war. Und der Fahrer redete immer noch. »Den großen Kopf der Armee im Süden haben wir. Leider haben wir die Arschlöcher der Sicherheitspolizei nicht alle erwischt. Nur einige wenige wurden festgenommen. Die haben geheult wie Kinder.«

Als wir in die Stadt kamen, war alles dunkel. Es gab auch hier keinen Strom. Nur die unzähligen Lichter der Öllampen und Kerzen leuchteten aus den Fenstern. Und doch war eine Menge bewaffneter Männer unterwegs. Eine seltsame Ruhe überall. Sogar im Zentrum.

Der Bus blieb genau gegenüber dem Al-Habubi-Denkmal stehen. Ich stieg aus. Als der Bus anfuhr, rief Adnan aus dem Fenster: »Ich besuche dich bald.«

Ich verließ Al-Habubi. Aus Jasims Haus schien das Licht flackernder Kerzen. Einige Frauen saßen vor den Haustüren. Ich ging an ihnen vorbei. Sie schauten mich an. Ich kannte sie eigentlich alle und dachte, sie würden mich auch kennen, aber keine grüßte mich. Samis Haus war völlig dunkel. Ich klopfte an die Tür. Keine Antwort. Eine der Frauen hinter mir rief: »Keiner zu Hause. Wen suchst du? Wer bist du?«

»Ich bin Mahdi.«

»Welcher Mahdi denn?« Sie erhob sich und kam auf mich zu. »Mahdi Hamama?« Sie blieb stehen. Starrte mich an. Den Mund offen. Und fing dann laut an zu schreien: »Mahdi ist wieder da! Hoooooooooooooo, Mahdi ist wieder da.« Sie hüpfte herum wie ein Kind. Die anderen Frauen erhoben sich ebenfalls, legten die Hand an ihre Lippen und jubelten in fast ohrenbetäubender

Lautstärke. »Juju, Juju, Juju ...« Diesen einzigartigen Juju-Ruf, den die Frauen immer bei Festen und Hochzeiten anstimmen, hatte ich wirklich vermisst: die Hand an den Lippen, ein Frohlocken, einem Tarzanschrei gleich.

Hamida fiel in den Jubel ein. Sie kam mit Jasim und den Kindern aus dem Haus. Immer mehr Nachbarn tauchten auf. Die Männer freuten sich auf ihre Art: Sie feuerten aus ihren Pistolen in den Himmel. Alle weinten und lachten gleichzeitig.

Jasim umarmte mich so heftig, dass ich beinahe keine Luft mehr bekommen hätte. Mein schwacher Körper ertrug seine kraftvollen Hände nur mit Mühe. Er bemerkte es, nahm mich zur Seite und schützte mich vor den Umarmungen der anderen, während die Frauen immer noch jubelten.

Wir gingen ins Haus. Hamida zündete weitere Kerzen im Wohnzimmer an. Ich setzte mich auf das Sofa. Alle Nachbarn standen um mich herum und schauten mich neugierig an. Ihre Schatten bewegten sich wie Geister an den Wänden des Zimmers. Keiner sagte etwas. Alle blickten mich an, als wäre ich ein Außerirdischer. Auch ich beobachtete sie schweigend, dachte aber, sie seien alle Riesen. Ich fühlte mich wie ein Zwerg, winzig und fast unsichtbar. Das lag wohl an der Gefängniszelle, die mich zu einem Niemand degradiert hatte. Jasim wirkte sehr alt. Er blickte mich voller Stolz an. Hamida wischte ihre Tränen ab. Schließlich brach sie das Schweigen: »Möchtest du etwas essen oder trinken?«

»Essen, ja. Ich habe Hunger«, antwortete ich lächelnd.

Hamida freute sich und schaute Jasim und die anderen Anwesenden an. »Es ist wirklich Mahdi. Er hat dasselbe Lächeln.«

Ich wusste nicht, dass ich mich so stark verändert hatte. Als Jasim mich ins Bad begleitete, damit ich mich duschen konnte, betrachtete ich mich im Spiegel. Es war lange her, dass ich vor einem Spiegel gestanden hatte. Vor mir stand ein Fremder. Das war doch nicht ich, nicht Mahdi Hamama. Das war ein anderer

Mann. Ein Glatzkopf mit großen schwarzen Augenringen. Sehr blass. Der Fremde legte seine Hand auf das Gesicht. Seine Haut wirkte ungewöhnlich weich, wie Wolle. Er zog seine Kleider vom Leib. Sein Körper war völlig abgemagert, nur Haut und Knochen. Ich schaute Jasim an, der immer noch neben mir im Bad stand. Aus seinen Augen kamen dicke Tränen. »Hast du kein Essen bekommen?«

»Doch. Aber nicht viel. Ein Brot am Tag.«

»Fast zwei Jahre lang?«

»Ich habe auch einmal eine Orange bekommen«, lächelte ich schwach.

Jasim lächelte ebenso. »Alles vorbei!«, sagte er und steckte mich unter die Dusche. »Haben sie dich gefoltert?«

»Onkel! Darüber will ich nicht reden.«

Ich bekam neue Kleider. Im Wohnzimmer war kein Besucher mehr. Hamida hatte alle gebeten, das Haus zu verlassen, damit ich mich ausruhen könne. Sie brachte einen großen Teller Reis mit Tomatensoße und Brot. »Guten Appetit!« Ich sah das Essen an und lächelte wieder. »Danke!«

Alle schauten mir verblüfft zu, wie ich aß. Ich habe das erst später bemerkt. Als ich fertig war, waren meine Hände voller Tomatensoße. Ich hatte das Essen mit beiden Händen in den Mund geschoben. Voller Gier.

Hamida brachte eine Schüssel mit Wasser. Ich wusch mir die Hände. Dann kam der Tee. Ich trank langsam in ganz kleinen Schlucken. Und schaute die drei Kinder an. Shaker schien mir fast erwachsen. Jasim sagte, er sei jetzt dreizehn geworden und bald schon ein Mann, der mit einer Frau ein Kind haben konnte. Die beiden Mädchen hatten sich auch verändert. Hochgewachsen und hübsch.

Nach dem Essen fühlte ich mich sehr müde. Ich musste aufs Klo. Alle sahen mir nach. Als ich dort hockte, kam trotz eines starken Dranges absolut nichts heraus. Plötzlich spürte ich einen gewaltigen Schmerz. Einige Tropfen Blut fielen in die Toilette. Ich stöhnte. Auf einmal ein starker Durchfall. Der Schmerz wurde unerträglich. Ich fiel in Ohnmacht.

* * *

Der Arzt, der zu uns ins Haus kam, meinte, es wäre nichts Schlimmes. Ich dürfe nur nicht zu viel essen. Vor allem kein Fett. Nur Suppen und ein Stück Brot täglich, zwei Tage lang. Mein Bauch müsse sich erst wieder an normales Essen gewöhnen. Ich bekam eine Beruhigungsspritze und eine ganze Schachtel Schlaftabletten. Bevor der Arzt wegging, untersuchte er meine Zähne. »Geh morgen zum Zahnarzt! Das sind ja keine Zähne mehr. Eher Kohlebergwerke. Warum putzt du sie nicht?«

»In der Schweiz gab es weder Zahnpasta noch Zahnbürste«, erwiderte ich trocken. Und Onkel Jasim lachte.

»Schweiz?« wiederholte der Arzt.

»Du weißt doch, er war im Gefängnis. Nicht im Urlaub. Was ist los mit dir? Komm!« Jasim begleitete ihn höflich nach draußen.

Ich schlief in dieser Nacht ruhig. Am nächsten Morgen wusste ich aber nicht sofort, wo ich war. Ich brauchte ein Weilchen, um festzustellen, dass ich zu Hause bei Onkel Jasim war, der neben mir lag. Als ich mich umdrehte, war er schon wach. »Guten Morgen. In einer Viertelstunde können wir zum Zahnarzt gehen, wenn du willst«, schlug er vor.

Mit einem Taxi fuhren wir zur Praxis. Auf der Fahrt schlief ich gleich wieder ein und wachte erst vor dem Haus des Zahnarztes auf. Der kontrollierte meine Zähne und entfernte Unmengen von Zahnstein. Der Zahnschmelz war aber in Ordnung, wie er erfreut feststellte. Keine Karies. Trotzdem solle ich ihn regelmäßig aufsuchen und mein Zahnfleisch sorgfältig pflegen.

Auf dem Rückweg fragte mich der Taxifahrer: »Warum sind Sie so blass, als kämen Sie gerade aus dem Grab?«

Ich war überrascht und schaute Jasim an. Der antwortete

schnell: »Er ist krank. Lassen Sie ihn in Ruhe. Wo wohnen Sie? In Al-Habubi?«

Die beiden begannen zu plaudern. Ich lehnte meine Stirn an das Fenster. Mit umherirrenden Augen sah ich durch die Scheibe die Straßen, die mir völlig fremd vorkamen. Reihenweise zerstörte Gebäude. Nur einige Männer, die ihre Waffen spazieren trugen. Aber es gab keine Bilder des Präsidenten mehr, die früher sämtliche Straßen und Plätze verschandelt hatten. Auch keine politischen Parolen mehr an den Mauern. Keine Spur mehr vom vollständigen Namen der Baath-Partei: »Arabische Sozialistische Partei der Wiedererweckung«. An ihre Stelle waren andere Bilder getreten. Religiöse Männer mit weißen Gesichtern und schwarzen Turbanen. Und andere Slogans: »Es lebe die irakische islamische Republik« und »Hoch die Revolution des Imam Al-Mahdi« …

Als wir zu Hause ankamen, wollte ich gleich zum Haus meines Freundes Sami. Doch Jasim versuchte mich davon abzuhalten: »Er ist nicht da.«

»Wo ist er denn?«

»Bei den Aufständischen.«

»Und Razaq?«

»Auch bei den Aufständischen.«

»Wann kommen sie heim?«

»Keine Ahnung!«

Ich schwieg. Ich ging ins Wohnzimmer und fand dort fast zwanzig alte Männer und Frauen vor, die auf dem Boden saßen, mich anschauten und lächelten. Hamida sagte: »Sie wollen dich über ihre Kinder ausfragen.«

Eine alte Dame stand auf, eingehüllt in schwarze Kleider. Sie näherte sich mir. Ich betrachtete sie genauer und traute meinen Augen nicht. Es war Alis Mutter. Die arme Frau sah traurig und müde aus. Sie umarmte mich. »Hast du mich nicht erkannt?« Sie küsste mich auf die Stirn. Ich nahm ihre Hand, ließ sie auf dem

Boden Platz nehmen und hockte mich neben sie. »Gott sei Dank! Du bist am Leben. Gott beschütze dich!«, sagte sie erleichtert. Ich beugte mich vor und küsste ihre Hand. »Wie geht es dir?«

»Oh, ich bin eine alte Frau. Mir geht es gut, wenn es euch gut geht. Wo ist mein Ältester, dein Freund Ali?«

Ich brachte kein Wort heraus. Sie schaute mich an und wartete auf eine Antwort auf diese lebenswichtige entscheidende Frage. Ich schwieg weiter. Sämtliche Augenpaare hingen gespannt an meinen Lippen. Ich hörte nur das Atmen der Anwesenden.

»Man sagt, er sei mit dir zusammen gewesen«, sagte sie endlich in die bedrückende Stille hinein.

»Ja. Ali war bei mir. Aber nicht lange.«

»Lebt er noch?« Ein Anflug von Hoffnung belebte ihr Gesicht.

»Ich habe ihn nur zwei Mal gesehen. Beim zweiten Mal sagte er, er würde von der Polizei bald nach Bagdad verlegt. Danach habe ich ihn nicht mehr gesehen. Er ist vermutlich in Bagdad im Gefängnis.«

»In Bagdad?«

»Ja.«

»Und was hat er getan, dass sie ihn nach Bagdad verlegt haben?«

»Er hat nichts getan. Nichts Schlechtes. Er wird bald kommen. Ich bin sicher.«

Die Frau schaute verlegen zur Decke. »O Gott, erhöre Mahdis Worte und bringe mir meinen Sohn zurück!« Sie stand auf, küsste mich noch einmal auf die Stirn und ging lautlos nach draußen.

Nach diesem Gespräch mit Alis Mutter wollte ich nur noch allein sein. Doch auch die anderen erwarteten Antworten von mir. Jeder hatte einen Vermissten, einen Sohn oder Ehemann. Namen über Namen, die ich nicht kannte. Ich musste fast jedem denselben Satz sagen: »Es tut mir leid. Ich kenne ihn nicht. Ich habe den Namen nie gehört.«

Zuletzt blieb ein alter Mann. Er stand mit Hilfe seines Stocks auf und blieb vor mir stehen. Ein Gesicht aus lauter Falten.

»Mein Sohn«, er stockte.

»Ja!«

»Er heißt…« Er verstummte noch einmal. »Nein. Danke! Ich will es nicht wissen.« Er drehte sich um und ging in Richtung Haupttür, öffnete sie und verschwand zwischen den Passanten auf der Straße.

* * *

Mittags suchte ich den Schlüssel von Samis Haus, konnte ihn aber nicht finden. Hamida erzählte mir, Sami habe ihn mitgenommen.

Ich blieb auf dem Dach, betrachtete den vertrauten Himmel. Nur wenige Tauben zwischen den Wolken. Und ein paar Flugzeuge, aber weit entfernt. Vielleicht die Alliierten, dachte ich. Ich blieb lange auf der Terrasse sitzen, fühlte mich dann aber plötzlich müde. Ich nahm noch einmal eine Schlaftablette, wie es der Arzt angeordnet hatte, und legte mich aufs Sofa.

Irgendwann am Abend wachte ich auf. Hamida brachte mir einen Teller Suppe. Danach schlief ich wieder ein. Dann drang eine Stimme an mein Ohr: »Faultier. Steh auf! Es ist zehn Uhr morgens.« Das war Jasim. »Laila wartet auf dich im Wohnzimmer. Steh auf! Und nimm diese Tabletten nicht mehr.«

Laila umarmte mich und weinte. Die hübsche Laila war eine zutiefst traurige und müde Frau geworden, aber ihre geheimnisvolle Schönheit schien immer noch durch. Sie betrachtete mich eingehend, als wolle sie sicher sein, dass ich Mahdi sei, aus Fleisch und Blut.

»Herzlich willkommen im Leben!«, lächelte Laila.

»Danke!«

»Mein Gott! Du hast dich aber ordentlich verändert!«

»Das ist das Leben!«

»Richtig!«

»Wo ist Razaq?«

»Nicht hier. In Bagdad vielleicht.«

»Was macht er dort?«

»Er hat sich bewaffnet und ist mit einigen Männern weggegangen. Es gibt immer Verrückte, die ihm zuhören. Er sagte, sie marschieren nach Bagdad.«

»Nein!«

»Ja. So ist es.«

»Und Sami?«

»Keine Ahnung! Ich habe ihn seit Langem nicht mehr gesehen.«

Laila redete nicht viel mit mir. Sie wollte nicht auf meine Fragen eingehen. Sie schaute mich nur etwas überrascht an und behauptete dann, die Kinder seien allein zu Hause, und sie müsse zurück. Sie holte einen großen Briefumschlag aus ihrer Tasche und drückte ihn mir in die Hand.

»Wenn du das gelesen hast, wirst du alles verstehen.«

»Was soll ich verstehen?«

»Alles!«

»Was ist da drin?«

»Briefe von Razaq an dich!«

Sie drehte sich um und ging schnell weg. Ich schaute ihr nach. Sie wechselte in der Küche mit Hamida einige Worte und verließ dann das Haus.

Ich wollte den Umschlag nicht öffnen. Irgendwie erschien mir alles sehr merkwürdig. Keiner wollte mir erklären, wo Sami und Razaq abgeblieben waren. In der Tiefe meines Herzens hoffte ich inständig, dass ihnen nichts Schlimmes zugestoßen war, während ich im Gefängnis saß.

Ich kehrte in mein Zimmer zurück und legte mich auf die Couch. Ich entschied, den Umschlag doch zu öffnen und entnahm mein Abiturzeugnis. Ich hatte bestanden. Durchschnittsnote 82 %. Ich betrachtete es lange, legte es lächelnd auf den Tisch und wandte mich den Briefen zu.

Dreizehntes Kapitel

Briefe

1991

Brief an einen Gefangenen (1)

Lieber Mahdi,
man schreibt persönliche Briefe ohne Überschrift. Warum eigentlich? Seit der Erfindung der Schrift haben die Menschen ihre persönlichen Briefe niemals mit einem Titel versehen, sondern mit einer einfachen Anrede. Es gibt nur ein Volk, das als Ausnahme gilt. Welches, habe ich leider vergessen. Ich weiß aber, dass dieses Volk einmal existiert hat. Heute ist es ausgestorben.

Ich dachte daran, meinen Brief an Dich mit Folgendem zu beginnen: Brief an einen Gefangenen. Kein schlechter Titel, oder? Nicht nur für einen Brief. Sondern auch für einen Roman.

Nun bist Du schon so lange nicht mehr da. Wir alle dachten, Du seist tot. Wir haben gewusst, dass Du in politischer Haft bist, und das bedeutete für uns: tot. Wir hörten von den Baathisten unseres Viertels, dass es sich bei Dir um eine echte politische Angelegenheit handele. Seitdem hatten wir es aufgegeben, davon zu träumen, Dich noch einmal zu sehen. Ich kannte keinen, der in politischer Haft war und zu seiner Familie zurückgekehrt ist. Später hörten wir aber, es gebe keine Anklage mehr gegen Dich. Deine Haft sei nur noch eine Sicherheitsmaßnahme. Das gab uns wieder Hoffung. Und als ich Dich dann mit meinen eigenen Augen gesehen hatte, erwachte in mir der Schreibdrache. Ich wartete nur noch auf die passende Zeit. Heute habe ich mich entschieden, auf den Rücken dieses Drachens zu steigen.

Ja, ich habe Dich gesehen. Wir, Sami und ich, haben Dich im Gefängnis besucht. Dir stehen jetzt bestimmt Augen und Mund offen! Ich würde auch so reagieren, wenn man mir das erzählen würde. Wir waren bei Dir, haben Dich genau angeschaut. Du hast sehr dünn und müde ausgesehen und trugst Augenbinde, Handschellen und schmutzige Kleider. Die Wärter haben Dich mit anderen Gefangenen auf einer Terrasse stehen lassen. Wir warteten im Haus gegenüber. Durch ein Fenster konnten wir Dich anschauen, durften aber nicht mit Dir reden. Es hat nur eine Minute gedauert. Für uns war das sehr wichtig, weil wir nun wussten, dass Du noch am Leben bist.

Diese eine Minute war sehr teuer. Wir mussten in Dollar bezahlen, der Polizist wollte keine Dinar. Er verlangte zweitausend Dollar. Ich weiß nicht, wie der Polizist wirklich hieß. Abu-Al-Houb – Vater der Liebe –, so nannte er sich. Blond, kräftig und groß wie Goliath. Durch eine Hure aus unserem Viertel knüpfte er Kontakt mit Sami. Keiner unserer vielen Bekannten konnte Dich finden, doch diese Königin der Nacht, Selma heißt sie, hat es geschafft. Abu-Liebe war einer ihrer vielen Kunden, genau wie Sami! Abu-Liebe bot uns also die Chance, Dich zu sehen, verlangte aber diese hohe Summe.

Du kennst uns. Ich besitze nicht viele Güter außer meinen Büchern. Sami nur seine Tauben. Dein Onkel gar nichts, abgesehen von seiner amerikanischen Pistole. Ein Teil der Bücher, ein Teil der Tauben und die Pistole brachten nicht besonders viel Geld. Hamida und Laila retteten uns. Hamida verkaufte ihre einzige Goldkette, die sie von Deinem Onkel zu ihrer Hochzeit bekommen hatte, und Laila ihren Schmuckkasten. So kam das Geld zusammen.

Am Freitagnachmittag fuhr ein schwarzer Mercedes vor, darin saßen zwei Männer. Wir fuhren durch die Stadt an den Rand der Wüste. Dort mussten wir eine Augenbinde anlegen. Nach einer halben Stunde Fahrt in völliger Dunkelheit erreichten wir endlich unser Ziel. In einem Zimmer befreite man uns von den Augenbinden. Es schien eine Küche zu sein. Durchs Fenster konnten wir Dich sehen. Danach bezahlten wir die abgemachte

Summe. Anschließend verbanden sie uns erneut die Augen und fuhren uns in die Stadt zurück.

Obwohl wir sehr glücklich waren, Dich sehen zu können, waren wir auch zutiefst traurig. Sami wollte tagelang nicht reden. Er hockte nur zu Hause herum.

Am Anfang, als die Polizei Dich festgenommen hatte, lebten wir in ständiger Angst wie alle Menschen, die Dich und Ali kannten. Wie geht es Ali? Seine Mutter ist nach seiner Festnahme sehr krank geworden. Ich hoffe, ihm geht es gut. Abu-Liebe sagte uns, er habe ihn nie gesehen.

Ja, alle Menschen, die Dich kannten, wurden bespitzelt. Sami kannte seinen Schatten persönlich. Er war kein guter Späher. Samis Café wurde aber leider für lange Zeit nicht nur ein Treffpunkt der Taubenzüchter, sondern auch der Maulwürfe und der Baathisten. Mein Spitzel dagegen war sehr clever. Ich habe ihn nie gesehen. Spürte nur, dass er mich immer beobachtet hat. Jasims Spitzel war Alkoholiker. Er gab einmal, als er betrunken war, zu, dass er Jasim nachstellte. Die es hörten, verrieten es Jasim. Der hatte sowieso schon Ärger in seiner Behörde. Er hatte seine gute Stelle in der Tarifabteilung verloren und eine andere im Archiv bekommen, wo er ausschließlich Akten aufräumen musste. Von einem alten Vorarbeiter wurde er schlecht behandelt. Jasims Haus glich in jener Zeit einer Wüste. Keiner besuchte ihn mehr, keine Freunde, keine Verwandten. Auch die Kinder auf der Straße spielten nicht mehr mit seinen Kindern. Alle Nachbarn hatten Angst. Es waren schwere Zeiten. Sie dauerten aber nur einige Monate. Die Menschen vergaßen allmählich ihre Ängste und benahmen sich wieder wie immer.

Ich muss zugeben, Dein Onkel Jasim, der früher so ein armseliger Taugenichts war, ist doch ein ganz besonderer Mensch geworden. Seit Du ins Gefängnis gekommen bist, hat er sich in einen anderen Menschen verwandelt, in einen liebevollen. Das hätte ich ihm nicht zugetraut. Er besuchte Sami und mich, kümmerte sich um Hamida und die Kinder und fing sogar an, über Politik zu reden. Er hatte auch eine religiöse Phase. Sami vermutete, weil sein ägyptisches Mädchen ihn verlassen hat und mit einem anderen Typen weggegangen war. Ich glaube, er ist einfach alt geworden, erwachsener, erfahrener und gelassener. Ich weiß es nicht genau. Hauptsache, er hat letztlich seine Familie doch noch gut behandelt.

Ich muss jetzt aufhören. Ich schreibe aber später noch mal an Dich. Ich muss die Nachrichten hören. Der Krieg hat heute begonnen. Die Amerikaner decken das Land seit Stunden mit Bomben und Raketen ein. Bei uns ist der Krieg nicht so heftig wie in Bagdad. Es gibt hier nur wenige wichtige Militärstützpunkte oder Verwaltungsgebäude. Aber trotzdem wurde viel zerstört. Wir haben keinen Strom, die Stromzentrale wurde von einer Rakete getroffen. Alle Brücken sind zerstört. Ein amerikanischer General verkündete heute im Radio: »Wir werden den Irak in die Steinzeit zurückbomben.« Ich schreibe infolgedessen meinen Brief jetzt im Licht einer Öllampe.

Nasrijah, 17. Januar 1991, 20 Uhr. Razaq Mustafa

(2)

Lieber Mahdi,
ich konnte in den letzten Wochen kein Wort schreiben, wegen des Krieges. Und wegen meiner Traurigkeit. Wo soll ich anfangen? Der Krieg wird jeden Tag wilder. Er ist nicht vergleichbar mit dem Iran-Krieg, sondern viel schlimmer. Der erste Krieg fand an der Front statt. Dieser zieht in unsere Schlafzimmer ein. Nicht nur mit seinen Raketen, sondern vor allem mit seinen Auswirkungen. Wir haben kein Essen mehr. Selbst ein Stück Brot ist sehr teuer geworden. Um überhaupt eines zu bekommen, muss man kämpfen. Einige Baathisten haben die Nahrungsmittel vor dem Krieg aus den staatlichen Lebensmittellagern für sich requiriert und verkaufen jetzt alles zu unglaublichen Preisen an die

Lebensmittelgeschäfte. Und diese weiter an uns, fast unbezahlbar.

Die Leute sind inzwischen bereit, sich gegenseitig aufzufressen. Gestern habe ich vier Hunde im Zentrum gesehen. Sie kamen aus der Wüste, am hellen Tag. Nicht wie früher, wo sie nur in der Nacht auftauchten, um in den Mülltonnen der Stadt Futter zu suchen. Die vier Hunde haben in einer Mülltonne ein altes, verschimmeltes Brot gefunden und wie wild darum gekämpft. Was machen sie erst, wenn sie ein Stück Fleisch finden? Wir sind alle wie diese Hunde geworden. Kämpfen wie wilde Tiere um einen einzigen Bissen.

Ich will nicht mehr darüber schreiben, weil ich sehr müde bin. Ich kann Dir nur sagen, dass die Menschen auch keine Angst vor der Regierung mehr haben. Sie schimpfen auf der Straße laut und deutlich über sie. Ein gläubiger Junge aus unserem Viertel hat vor einigen Tagen sogar einen Baathisten verprügelt, einfach so. Und die anderen Baathisten haben tatenlos zugeschaut. Viele zeigen sich nicht mehr in der Öffentlichkeit. Andere sind plötzlich verschwunden. Ich habe keine Ahnung, wohin. Sie haben Angst, man könnte sich an ihnen rächen. Wenn sie sich nun auf der Straße zeigen, dann immer nur gruppenweise, zehn Männer oder mehr und bis an die Zähne bewaffnet.

Der Mut dieser einfachen Leute hat mit dem Stromausfall zu tun, nehme ich an. Seitdem können die Leute nicht mehr fernsehen. Sie sehen Saddam nicht mehr, seine Paradeuniform und seine Waffe. Er jubelt nicht mehr. Er hat sowieso seit Kriegsbeginn nur zwei Reden gehalten, eine im Radio und eine im Fernsehen. Unglaublich, oder? Früher waren es zwei am Tag! Seine Stimme klang sehr komisch. Man glaubte, es sei das Echo, das seine Stimme verzerrte. Er hatte sich sicher irgendwo in einem Loch verkrochen. In den Augen der Leute hat er seine übermenschliche Stärke schon verloren. Er ist nicht mehr die Bestie, die alle fürchteten. Ich glaube, die Leute sind einfach mutig geworden, weil er nicht mehr jeden Tag seine Augen in ihre Augen bohrt. Konnte der Fernseher tatsächlich eine so prägende Rolle spielen, so manipulieren? Ich glaube, die Macht dieses Polizeistaates hing davon ab, dass sich Saddam in den Medien als allmächtiges Monster präsentierte. Die Leute glaubten, er sei unsterblich, und jetzt ist dieser Glaube zerstört. Ich weiß nicht, ob meine Analyse stimmt. Irgendwann werde ich darüber schreiben: der Fernseher und die Diktatur, die Macht der Lüge. Auch ein schöner Titel.

Im Radio hörte ich den Sender *Stimme des Freien Irak*, dessen Beiträge die irakische Opposition aus dem Ausland sendet. Zurzeit hören wir ausschließlich fremde Sender. Der Sprecher meinte, es werde bald einen Aufstand geben. Die Amerikaner wollen Saddam stürzen, sobald sie Kuwait befreit haben. Ich hoffe, sie stecken ihm seine Paläste in den Arsch und zahlen ihm seine Verbrechen heim. Aber ich glaube eigentlich nicht an die Amerikaner. Sie wollen doch nur ihre Ölversorgung sichern und ihren Profit.

Jasim jubelte, als er die Nachricht hörte, dass die Alliierten Saddams Sturz planten und beabsichtigten, der unterdrückten Bevölkerung zu helfen. Er glaubte, es sei die beste Lösung. Ich verstehe ihn. Im Herzen denke ich auch so. Ich will einfach das Ende dieser primitiven Baathisten. Mein Kopf sagt mir aber etwas ganz anderes.

Ich habe Angst, dass die gutgläubigen Leute eine Dummheit begehen und mit Heldenmut gegen die bestgerüstete Armee von Saddam kämpfen und dann von den Alliierten im Stich gelassen werden, wie es schon mehrere Male geschehen ist. Ich bin Geschichtslehrer und weiß, wovon ich rede. Wie viele Länder der Welt wurden während des Kalten Krieges von den Amerikanern oder den Russen in einen neuen Krieg gehetzt und dann im Stich gelassen? Verraten und verkauft! Und von den Diktatoren gegrillt und gefressen. Ich weiß nicht, ob die westliche Welt wirklich an Saddams Ende glaubt. Unser Schicksal bestimmen sie, wie sie wollen, und nicht wir. Wir werden es sehen, wenn wir diesen Krieg überleben.

Es tut mir leid, ich bin heute wenig optimistisch. Ich habe Hunger. Ich kann einfach nicht schlafen. Mein Bauch tut weh. Alles, was ich heute bekam, habe ich Laila und meinen zwei Engeln überlassen. Und das war verdammt noch mal nicht viel. Nur zwei Kartoffeln.

Nasrijah, 20. Februar 1991, 3 Uhr morgens. Razaq Mustafa

(3)

Lieber Mahdi,
dieser Brief könnte der letzte an Dich sein. Danach hoffe ich, wenn Du und ich noch am Leben sind, sprechen wir endlich wieder von Angesicht zu Angesicht. Der Krieg ist vorbei. Vor einigen Tagen, am 27. Februar, erklärten die Alliierten Kuwait für befreit. Wir haben in diesem Krieg sehr viel verloren, Tausende kamen ums Leben. Auch unsere Zukunft kam ums Leben. Es ist alles zerstört, es gibt nur noch Ruinen. Wir sind fast wieder in der Steinzeit gelandet, wie der amerikanische General es uns prophezeit hat.

Ein anderer Krieg aber ist noch nicht vorbei. Er fängt gerade erst an: der Krieg zwischen Volk und Regierung. Die Opposition im In- und Ausland hat Kontakte geknüpft. Die Kommunisten haben verkündet, dass die Amerikaner kein Problem damit hätten, wenn die Iraker selbst Saddam stürzen würden. Sie wollten aber nichts damit zu tun haben. Im Radio hörte ich, die Kurden im Norden wären schon im Aufstand. Einfache Soldaten, die aus Kuwait zurückgekehrt sind, haben sich den Oppositionellen in Basra angeschlossen und kämpfen gegen die Baathisten.

In Nasrijah schien es, als schwanke die Stadt wie bei einem Erdbeben. Auf der einen Seite sitzen die Baathisten in ihren Verwaltungsgebäuden, schwer bewaffnet. Und ich weiß nicht, worauf sie warten! Auf der anderen Straßenseite steht das Volk.

Ich glaube, wenn ein einfaches Kind auf der Straße »Nieder mit Saddam!« rufen würde, gäbe es sofort eine Revolution. Alle Leute stünden auf und riefen dasselbe.

Wenn es wirklich einen Aufstand gibt, bleibe ich nicht hier. Ich werde Männer mitnehmen – und bestimmt werde ich viele finden – und Richtung Bagdad marschieren. Dort muss der Aufstand stattfinden. Die Schlange wird niemals tot sein, wenn der Kopf nicht abgerissen wird. Und der Kopf sitzt in Bagdad.

Also hoffe ich, dass wir uns bald sehen. Ich habe das Gefühl, wir werden uns treffen. Wann genau? Ich weiß es nicht.

Übrigens hast Du Dein Abitur bestanden. Mit einem Durchschnitt von 82 %. Herzlichen Glückwunsch! Dein Zeugnis habe ich schon seit einer halben Ewigkeit für Dich aufbewahrt. Es ist bei Laila. Es könnte sein, dass Du es irgendwann brauchst. Wer weiß?!

Nun, Dir alles Gute!

Nasrijah, 1. März 1991, 8 Uhr. Razaq Mustafa

(4)
Sami

Lieber Mahdi,
ich weiß nicht, wie oft ich den Satz »Ich weiß nicht« gesagt habe. Ich muss leider auch diesen Brief mit diesem Satz beginnen: Ich weiß nicht, wie ich Dir die neuen Nachrichten übermitteln soll.

Es geht um Sami …

Er gehört nicht mehr unserer Welt an. Es tut mir sehr leid. Aber ich muss es Dir erzählen, bevor Du es von jemand anderem erfährst. Es fällt mir sehr schwer.

Sami ist tot.

Der Täter heißt Karim, der Taubenzüchter aus dem Al-Iskan-Viertel. Du kennst ihn, er und Sami waren immer Feinde. Aber keiner dachte, ihre Feindschaft könne zu einem Mord führen.

Ich weiß nicht, ob Du die Geschichte mit der grünen Taube

kennst?! Sami hatte eine grüne Taube von Karim erjagt und wollte sie ihm nicht mehr zurückgeben, wie üblich. Karim hatte so etwas früher auch mit Sami gemacht. Wegen der grünen Taube gab es nun zwischen den beiden einen Streit. Wer hätte ahnen können, dass Karim deswegen seinen Verstand verlieren würde?

Sami hatte es geschafft, die grüne Taube nach einigen Monaten zu einer seiner treuesten Tauben zu machen. Karim dagegen hatte immer gehofft, sie würde zu ihm zurückkehren. Vergeblich. Karim wurde verrückt vor Ärger. Fast jede Woche ließ er sich volllaufen, kam ins Taubencafé und wollte Sami erdolchen. Jedes Mal beruhigten ihn die Zechgenossen und schickten ihn nach Hause.

Am Morgen eines kalten Februartages im Jahr 1990 fanden die Leute Sami tot auf der Straße gegenüber seinem Haus. Er lag auf dem Boden in seinem Blut, zehn Dolchstiche oder mehr in Brust und Bauch, einer am Hals. Eine große Gruppe von Taubenzüchtern suchte Karim, um Sami zu rächen. Aber Karim war verschwunden. Am selben Tag hatte er Samis ganze Taubenfamilie ausgerottet. Das Dach sah aus wie nach einem Massaker. Die Köpfe waren von den Körpern abgetrennt. Außer der grünen Taube. Karim hat sie gekreuzigt, wie die Römer Jesus. Ihre Flügel heftete er mit Nägeln an den Taubenschlag und sein Dolch steckte in ihrem Bauch. Mit ihrem Blut hatte er an die Wand geschrieben: »Verräterin«. Es war ein Massaker. Karim ist seitdem nicht wieder aufgetaucht.

Ich glaube, er ist deshalb so brutal geworden, weil er in die grüne Taube verliebt war, genau wie Sami. Vielleicht war sie ja gar keine Taube, sondern ein verzauberter Mensch. Diese grüne Taube war von Anfang an die Prinzessin unter Samis Tauben, so behandelte er sie jedenfalls. Ich fühlte immer, dass sie irgendwie eigenartig war. Sie starrte jeden verängstigt an, der in ihre Nähe kam. Aber wenn Sami dabei war, wurde sie ganz ruhig und zutraulich. Möglicherweise liebte sie ihn auch.

Ich bin sehr traurig, denke aber oft an Samis Worte. Er hat immer gesagt: »Ich habe viele Freunde wegen der dummen Kriege verloren. Ich will nicht so sterben. Ich will wegen etwas Besonderem sterben. Wegen einer Taube zum Beispiel.«

Und er ist wegen einer Taube gestorben. Sei also nicht traurig! Sami hat alles bekommen, was er wollte, sogar noch in seinem Tod.

Ich bin froh, Dir diese Nachricht mitgeteilt zu haben. Auch wenn es mir wahrlich nicht leicht gefallen ist.

Nun lass ich Dich aber in Ruhe!

Nasrijah, Razaq Mustafa

Vierzehntes Kapitel

Revolutionäre

1991

Ich lag den ganzen Vormittag auf der Couch, weniger von Trauer bedrückt, als vielmehr voller Wut. Vor mir lagen Razaqs Briefe auf dem Tisch. Daneben stand ein leeres Teeglas. Ich fegte es mit der Hand herunter und schaute zu, wie es auf dem Boden zersplitterte. Mehrmals wollte ich aufstehen und die Faust gegen die Wand schlagen. Tat es dann aber doch nicht. Weinen konnte ich nicht. Aber mein Herz blutete.

Ich blieb stundenlang im Zimmer sitzen. Ich tat nichts, starrte die Wände an. Nahm dann eine Schlaftablette. In der Abenddämmerung wachte ich trotzdem auf, weil Salven von Schüssen die Stille im Zimmer zerrissen. Männerstimmen jubelten draußen im Chor: »Gott ist groß. Der Diktator ist tot.« Lautes Gejohle der Frauen. Shaker öffnete schwungvoll die Tür meines Zimmers und jauchzte glücklich: »Saddam ist tot.« Und lief rasch nach draußen.

Ich atmete schwer. »So viel auf einmal! Gute Menschen sterben und schlechte, und ich fühle gar nichts«, murmelte ich verwirrt. Der Lärm draußen wurde stärker. Immer mehr Schüsse und Jubelgebrüll. Ich schloss die Augen und stopfte mir die Finger in die Ohren. Wieder öffnete jemand die Tür. Jasim trat ein. Er beugte sich zu mir und küsste mich auf den Scheitel. »Ich weiß, was Sami für dich bedeutet hat. Trauer bringt ihn aber nicht zurück.«

»Ich weiß!«

»Keiner von uns hat sich getraut, dir das zu erzählen. Razaq kam auf die Idee, dir von Samis Tod zu schreiben. Es tut mir leid!«

Ich schwieg.

»Wenn Sami jetzt da wäre, würde er sich sicher über Saddams Tod freuen. Alle Leute freuen sich und feiern auf den Straßen. Komm mit! Lass uns feiern! Es gibt auch einige Aufständische, die mit dir reden wollen. Sie sind im Wohnzimmer. Du bist jetzt ein wichtiger Mann.«

»Wer sind sie?«

»Ich kenne sie alle nicht.«

»Ich will jetzt keinen sehen. Morgen vielleicht. Ich kann jetzt nicht.«

Jasim verließ das Zimmer. Ich schloss meine Augen und versuchte, wieder einzuschlafen.

Später gehe ich auf die Straße. Doch da ist nichts. Keiner mehr da. Um mich herum nur Nebel. In der Ferne erblicke ich die grüne Taube. Sie nähert sich. Und verschwindet. Wieder Leere. Dann Totenstille …

Ich wachte auf. Es war stockdunkel.

Als ich hinunterkam, schaute mich Jasim an. »Und?«

»Es geht mir gut! Warum höre ich draußen nichts mehr?«

»Die Nachricht war nur ein Gerücht. Saddam ist gar nicht tot. Irgendein Hundesohn hat das verbreitet. Und alle haben ihm geglaubt. Ein Aufständischer hat mir erzählt, er habe heute alle seine Kugeln abgefeuert, vor Freude. Und jetzt hat er keine Munition mehr. Seine Kameraden haben wohl auch nicht mehr viel übrig.«

»Das heißt, wenn Saddam mit seiner Armee kommt, können wir mit Steinen gegen ihn kämpfen, oder wie?«

»Was weiß ich! Keine Ahnung!«

Ich verließ das Haus und ging nach draußen. Es war völlig finster und ziemlich kalt. Ich warf einen flüchtigen Blick auf Samis unbeleuchtetes Haus und ging weiter. An der Straßenecke rief mir einer hinterher: »Mahdi! Warte mal!«

Ich drehte mich um und sah Aloan. Ein gläubiger Bursche aus dem Viertel, der ein Jahr in der größten schiitischen Schule Al-Hawzah in der Stadt Nadschaf gelernt hatte. Er wurde meist nach dem Namen dieser Schule gerufen, Aloan Hawzah.

Er umarmte mich und erkundigte sich nach meiner Gesundheit, nach Ali und dem Leben im Gefängnis. Ich antwortete knapp: »Ich will zu Samis Café!«

»Aber ...!«

»Ich weiß. Ich will trotzdem dorthin.«

»Ich begleite dich.«

Unterwegs fing Aloan an, über den Aufstand zu berichten. »Vierzehn Städte haben wir unter Kontrolle. Bleiben nur noch vier. Mit Gottes Hilfe werden wir bald alle kontrollieren. Danach sind wir richtig frei.«

»Und Bagdad?«

»Noch nicht. Aber die Männer sind schon unterwegs. Eine Armee von Aufständischen, die außer Gott niemanden fürchten, ist aufgebrochen, um den Widerstandskämpfern in Bagdad zu helfen. Wenn die Kurden auch nach Bagdad marschieren, ist unsere Aufgabe bald erledigt.«

»Habt ihr Kontakt zu den Kurden?«

»Leider nicht. Wir wissen nur, dass sie die Stadt Kirkuk erreicht haben. Sie sind aber nicht weiter vorgestoßen. Wir haben einen Radiosender eingerichtet. Ab morgen werden unsere Nachrichten übertragen. Dann werden die Leute auf uns hören.«

»Und die Amerikaner?«

»Die sind schon im Land. In der Wüste. Doch bis jetzt kam keine Reaktion. Wir haben aber im Radio gehört, dass sie Saddam verboten hätten, bewaffnete Hubschrauber oder Raketen gegen uns einzusetzen. Wenn das stimmt, dann schnappen wir diesen Mörder. Er kann uns ohne seine Flugzeuge und Raketen niemals entkommen. Und wenn das nicht stimmt, dann kämpfen wir, und der liebe Gott ist auf unserer Seite. Er wird uns nicht im Stich lassen.«

Wir erreichten das Café. Es war geschlossen. Auch alle anderen Cafés und Geschäfte hatten zu. Aloan legte seine Hand auf meine Schulter. »Die Aufständischen wollen mit dir reden. Wir kommen morgen oder übermorgen zu dir. Einverstanden?«

Ich sagte kein Wort, drehte mich um und kehrte nach Hause zurück. Er folgte mir. Wir gingen schweigend nebeneinander her.

Zuhause im Wohnzimmer traf ich nur Hamida und die Kinder an. »Möchtest du etwas essen?«, fragte Hamida.

»Nein, danke! Ich gehe schlafen.«

Als ich die Tür meines Dachzimmers aufsperren wollte, bemerkte ich, dass sie gar nicht verschlossen war. Das Licht einer Kerze flackerte im Raum. Vorsichtig trat ich ein, blickte mich aufmerksam um und erkannte eine Gestalt, die auf der Couch saß, ihr Schatten gespenstisch an die Wand geworfen. Die Gestalt bewegte sich. Ich kniff die Augen zusammen. Doch ich konnte nichts erkennen.

* * *

In den Augen der Viertelbewohner, die mich früher als Hamama kannten, der außer den Tauben und ihren Geschichten nichts im Kopf hatte, war ich plötzlich eine Berühmtheit. Im Grunde konnte sich keiner erklären, wieso ich zwei Jahre meines Lebens in Haft verbracht hatte. Jeder wusste nur, dass es wegen der Politik war. Offenbar genügte das den meisten, um mich zum Helden zu erheben. Was mich persönlich betraf, hasste ich ihr überschwängliches Lob. Ich hasste es, über die Haft sprechen zu müssen. Was sollte ich auch davon erzählen? Wer konnte denn nachvollziehen, was ich durchgestanden hatte?

Freilich, die Leute waren verständnisvoll. Wenn ich es wieder einmal ablehnte, ausführlicher über das Gefängnisleben zu reden, antwortete jeder: »Vergessen ist eine Gnade! Vergiss es einfach! Wir sind die Kinder von heute!«

Aber ich konnte wenigstens den anderen zuhören. Ich ließ mir von ihnen erzählen, was sich während meiner Haft zugetragen hatte. Und musste feststellen, dass mir wirklich eine ganze Menge entgangen war.

Hamida berichtete mir von den Bewohnern des Viertels. Wer gestorben war, von Hochzeiten, wer von der Polizei festgenommen worden, wer von der Front geflohen oder gefallen war. Und auch, wen die Aufständischen erwischt hatten.

»Maroan, der Langfinger. Du kennst ihn. Der als Maroan Dolch bekannt ist, weil er niemals ohne Dolch unterwegs war.«

»Ich kann mich nicht an ihn erinnern. Was ist mit ihm?«

»Der war ein Dieb. Kräftig und mit vielen Kratzern und Narben auf der rechten Wange. Er ist ein Diener Gottes geworden. Ein Führer in unserer Armee, die an der Grenze der Stadt lagert. Er kämpfte richtig gegen die Hurensöhne, die Baathisten. Zu Beginn des Aufstandes ermordete er eine ganze Menge von ihnen. Er tötete auch Salam Fluss und kreuzigte seine Leiche an einem Baum.«

»Wer ist Salam?«

»Salam Fluss. Der Sänger.«

»Ich kenne ihn nicht.«

»Der ist aber bekannt geworden. Du kennst ihn wirklich nicht? Seltsam! Sein Lied über den Tigris, Fluss der Liebe, war nach dem Iran-Krieg sehr beliebt. Seitdem nannte man ihn nicht nur Salam, sondern Salam Fluss. Er hat mit diesem Lied nicht schlecht verdient. Er konnte ein hübsches Mädchen heiraten und einen Volkswagen kaufen. Als du im Gefängnis warst, war Salam noch mal im Fernsehen. Er hat wieder getanzt und gesungen. Aber dieses Mal ein Geburtstagslied für Saddam. Seitdem lebte er eigentlich in Bagdad. Als der Aufstand begann, war er zufällig hier im Haus der Familie seiner Frau. Ja. So wurde er erwischt.«

»Pech für ihn!«

»Und weißt du, was mit Hasnaa, unserer Nachbarin, passiert ist?«

»Nein. Erzähl!«

»Ihr Verlobter, der mit ihrem Vater verwandt ist, kommt aus Basra. Ein Bäcker, der eine eigene Bäckerei im Stadtzentrum besitzt. Eine sehr große Bäckerei. Viele Mädchen waren deswegen neidisch auf Hasnaa. Na klar! Jede wollte einen so wohlhabenden Mann. Und noch dazu war er gar nicht mal hässlich und nur acht Jahre älter als sie. Hatte einen schönen großen Bauch. Ja, die Reichen haben immer schöne Bäuche. Und eine Glatze hatte er auch. Wohl ein Zeichen für seine Weisheit, oder? Leider hat die arme Hasnaa sich nicht lange über die gute Partie freuen können. Eines Tages, genau vier Wochen vor der Hochzeit, ist er verschwunden. Ganz genau vier Wochen nach der Eroberung von Kuwait. Man sagte, er habe seine Schwester besuchen wollen, die in Kuwait verheiratet ist. Seitdem ist er nicht wieder aufgetaucht. Seine Familie befürchtete, dass er in Kuwait auf der Straße erschossen worden ist. Der Täter soll ein irakischer Soldat oder ein kuwaitischer Regierungsgegner gewesen sein. Seine Schwester, die mit einem Kuwaiti verheiratet ist, ist auch nicht mehr aufgetaucht. Und Hasnaa heult seitdem und wartet darauf, dass ihr Verlobter auf einem weißen Pferd zu ihr zurückkehrt.«

»Gibt es auch gute Nachrichten?«

»Ja. Du bist aus dem Gefängnis befreit worden.«

Einige Leute berichteten vom Krieg. Darüber wollte ich anfangs alles erfahren, später immer weniger. Jasim erzählte gern davon. Er wusste über alles Bescheid: den Hintergrund des Konflikts, den Kriegsverlauf, einschließlich der Zahl der Soldaten. Alle Daten, egal ob es um den Luft- oder den Bodenkrieg ging. Er sprach sogar vom sogenannten Medienkrieg, der besonders heftig getobt haben soll, und über die militärische Technik, die vor allem von den Alliierten eingesetzt wurde. Als er einmal über die Zahl der irakischen Opfer redete, konnte ich es nicht mehr ertragen.

»Die Amerikaner nennen eine Zahl gefallener Soldaten auf unserer Seite und die Iraker eine andere. Im iranischen Radiosender habe ich die Zahl 40 000 bis 75 000 gehört, dazu 35 000 zivile Todesopfer, 71 000 Kriegsgefangene bei den Amerikanern. Und dazu die Zahl der Invaliden ...«

»Onkel! Ich will keine Zahlen mehr, bitte! Genug! Und erzähl mir nie mehr davon!«

Die Berichte über den Krieg waren schrecklich. Er hatte viele unterschiedliche Namen. Die amerikanischen lauteten »Operation Desert Shield« und »Operation Desert Storm«. Für die irakischen Machthaber hieß er »Um-Al-Maarek – Mutter aller Kriege«. Für die Kuwaitis: »Krieg der Befreiung Kuwaits«. Und für den Rest der Welt »Golfkrieg«.

Ich hörte auch neue Namen von Flugzeugen, Bomben oder Raketen, die sogar die Kinder auf der Straße kannten und in ihren Spielen verwendeten. Shaker war begeistert, mir einige aufzählen zu können: »B-52, BLU-82B, Patriot, SCUD ... Schwerter wurden aber nicht benutzt!«

Im Laufe der Zeit, obwohl ich nachts noch von Albträumen gequält wurde, spürte ich eine Art Beruhigung, die sich allmählich in meinem ganzen Körper ausbreitete. Seit dem Ausbruch des Aufstands merkte ich, wie die Menschen wieder zu ihrem gewohnten Alltagsleben zurückkehrten. Keine Baathisten. Keine

Grausamkeiten mehr. Kein Fernsehterror und keine Regierungspropaganda. Wie in einem Märchen, in dem das Böse besiegt worden ist, in dem die Sonne scheint, die Vögel singen und die Blumen blühen. Das war wirklich ein gutes Gefühl. Und viele hatten nur eines im Kopf: den Aufstand weiter auszudehnen und eine neue Regierung zu bilden, damit sich dieses neue Leben weiter entwickeln und stabilisieren konnte.

Die einfachen Leute hatten keine Angst zu sagen, was sie sagen wollten, und zu tun, was sie tun wollten. Sie wünschten sich, diesen Zustand für immer zu bewahren. Die Aufständischen gewährleisteten ein sicheres Leben für alle. Essen gab es genug. Die Leute hatten einfach sämtliche Lebensmittel aus den staatlichen Lagern mitgenommen. Alles war billig und überall erhältlich. Geldmangel existierte fast nicht mehr, außer beim Kauf größerer Waren. Für die kleinen, alltäglichen Dinge des Lebens bevorzugte man den Tauschhandel. Es war wie in einer Geschichte aus *Tausendundeine Nacht*. Als hätten die Menschen das Losungswort »Sesam, öffne dich« tatsächlich gefunden und das Felsentor der Schatzkammer weit geöffnet.

* * *

Einige Tage nach dieser Wiedergeburt nahmen die Aufständischen Kontakt mit mir auf. Sie besuchten mich zu Hause. Vier bewaffnete Männer, begleitet von Aloan. Sie beschworen mich, mit ihnen zusammenzuarbeiten. Aufgrund meiner geschwächten Konstitution bekam ich eine einfache Aufgabe im Viertel und nicht an der Stadtgrenze, wie die meisten anderen Aufständischen.

Sie gaben mir eine Pistole und einen Zettel, der als Ausweis galt, mit dem Stempel »Freie Irakische Republik« und meinem Namen neben dem Titel »Schützer der Revolution«. Meine Aufgabe war es, mit Aloan und drei weiteren Männern die Al-Habubi-Gegend zu kontrollieren. Die Leute genau zu beobachten und herauszufinden, ob nicht ein Spitzel, ein Saddamist oder gar der Teufel selbst etwas Schmähliches im Schilde führte.

Es war eine angenehme Aufgabe. Ich bekam ständig Tee und Sandwichs von den Leuten geschenkt. Immer wieder trat eine Dame aus ihrem Haus und reichte uns eine Kostprobe ihrer kulinarischen Künste. Zudem wurden wir unaufhörlich gelobt und gepriesen, von jedem auf der Straße. »Gott schütze euch!« Oder: »Ihr seid die Zukunft des Landes.« Festgenommen habe ich keinen, weil es keinen mehr gab, der mir verdächtig erschien.

Einmal, es war am dritten Tag meiner Wache, musste ich wieder ins Gefängnis. Nicht als Gefangener, sondern beinahe als Wärter. Aloan erzählte mir, die Kommandierenden hätten den General, der zu Beginn des Aufstands die irakischen Südtruppen geführt hatte, festgenommen. Er sei im Krankenhaus und müsse operiert werden, weil er verletzt sei. Sein Sohn, der ein Polizist gewesen sein soll, sei auch festgenommen worden, ebenso der Bürgermeister. Außerdem noch viele andere Baathisten. Als Gefängnis diene eine Schule, die Córdoba-Grundschule im Stadtzentrum, die man für die Unterbringung von Gefangenen hergerichtet habe.

Als ich das hörte, wollte ich unbedingt hin. Eigentlich interessierte mich weder der Bürgermeister noch der General. Dessen Sohn allerdings umso mehr. Ich glaubte ihn zu kennen. »Ich vergesse die Gesichter der Polizisten im Verhör nicht. Wie könnte man seine Folterer je vergessen?«, dachte ich und folgte Aloan in die Schule.

Wir betraten das provisorische Gefängnis. Eine Gruppe bewaffneter Männer begrüßte uns und fragte nach dem Ausweis und dem Grund unseres Besuchs. Aloan erklärte, ich sei ein ehemaliger Gefangener und könne einige Folterer identifizieren. Der Wärter erwiderte: »Es gibt nur einen ehemaligen Verhörpolizisten. Und ein paar frühere Wärter. Sie sind alle in der Klasse fünf.«

Als der Wärter die Tür der Klasse fünf öffnete, standen neun

Gefangene auf. Alle in Handschellen. Ihr Zustand war miserabel. Ich musterte sie eingehend. Von den Wärtern erkannte ich keinen. Aber ein Gesicht musste ich genauer prüfen. Es war ein recht hübsches. Ich erinnerte mich sofort. Es war der gut aussehende Verhörpolizist, der am Erziehungstag aus dem »Mafatih Al-Dschinaan« – Schlüssel des Paradieses – vorgelesen hatte. Ich flüsterte in Aloans Ohr: »Den kenne ich!« Aloan trat auf den Gefangenen zu.

»Wie heißt du?«

»Omer!«, antwortete er und schaute mit trüben Augen zu Boden.

»Was ist deine Arbeit?«

»Polizist!«

»Was für einer?«

»Sicherheit.«

»Kennst du den da?«

Seine Augen schienen in meinem Gesicht irgendetwas zu suchen. »Nein!«

»Schau genau hin!«

»Ich habe Nein gesagt!«

»Ich heiße Mahdi!«, sagte ich. »Hast du mich vergessen?«

Seine Augen zeigten keinerlei Regung. Keine Überraschung oder Verwunderung, als erkenne er mich tatsächlich nicht. »Nein!«, antwortete er einsilbig.

»Erziehungstag? Bittgebet von Kumail? Schlüssel des Paradieses? Mahdi, der endlich nicht verborgen ist?!«

»Keine Ahnung!«

In mir brannte kalte Wut. Ich fühlte ein Beben in meinem Körper, das einem Vulkan glich. Ich wollte blindlings auf ihn einschlagen und ihm seine eigenen Zähne wie Münzen in die Hand legen. Mich an diesem einen für all die Grausamkeiten rächen, die alle Wärter und Verhörpolizisten mir angetan hatten. Für die Verbrechen, begangen an Ali, Abu-Saluan, Shruq, Mohamed,

Ahmed und all den anderen. Doch etwas in meinem Inneren befahl mir, es nicht zu tun. Eine Hand wollte ihn greifen, aber die andere hielt sie fest. »Er ist es nicht wert, er ist nur ein kleines Rädchen«, murmelte ich und ging schnell nach draußen.

Ich war schon im Hof der Schule, als Aloan seine Hand auf meine Schulter legte. »Was ist los?«

»Ich will allein bleiben. Bitte!«

»Wie du möchtest!«

Ich ging eilig davon, verließ die Schule und marschierte einfach drauflos. Ich lief fast fünf Minuten, wie ein Besessener. Nur Wut in mir und eine unendliche Verwirrung. Dann blieb ich auf einem kleinen Platz stehen, mit einer Kinderschaukel in der Mitte. Am Straßenrand entdeckte ich einen Stein und setzte mich darauf. Ich legte meine Pistole, die ich gar nicht richtig benutzen konnte, neben mich und betrachtete den menschenleeren Platz.

Alles war ruhig. Und ich spürte zwei Wesen in mir.

»Was für eine absurde Welt! Dein Folterer ist im Gefängnis. Du kannst ihn nun foltern, genau wie er dich. Sein Wärter oder Richter werden«, überlegte der eine Mahdi.

»Ein Fall von schicksalhaftem Rollentausch.«

»Du würdest ihn gern schlagen, bis er nicht mehr aufstehen kann. Oder?«

»Aber ich habe die Gewalt doch immer gehasst«, wandte der andere ein.

»Dieses Mal aber nicht. Du willst es wirklich. Hassen. Aus der Tiefe deines Herzens.«

»Trotzdem bin ich froh, dass ich es nicht getan habe. Oder?«

»Du wolltest es aber. Kehre zurück und verprügle den hübschen Hurensohn!«

»Mahdi! Ich muss an was anderes denken. Nicht an Rache.«

»Aber wieso? Warum nicht? Wieso solltest du immer die Rolle eines Engels spielen? Du bist kein Engel mehr. Den Engel in dir haben sie längst getötet. Räche deine Unschuld an denen, die sie umgebracht haben!«

»Denk nicht so viel daran! Das ist Vergangenheit! Sei du, wie du bist, und leb dein Leben!«

»Geh und mach das Arschloch fertig! Hast du Shruq schon vergessen?«

»Dieser junge Polizist ist genauso zufällig in seine Position und Situation hineingeraten, wie ich ins Gefängnis geworfen wurde. Es ist nur ein Zufall, wohin wir im Leben geraten. Geh nach Hause! Oder such deinen Freund Adnan! Er kann dich bestimmt gut verstehen …«

* * *

Adnan zu finden, war nicht einfach. Ich wusste nur, dass er in der Zwanzigerstraße wohnte, aber die bestand aus einer langen Häuserreihe. Ich fragte an einer Haustür. Ein alter Mann kannte ihn, aber er behauptete, Adnan sei schon seit Tagen nicht mehr zu Hause aufgetaucht. Ich solle im Büro der Kommunistischen Partei nach ihm fragen. Der Mann wusste aber nicht, wo sich dieses Büro befand.

Den ganzen Nachmittag forschte ich in der Stadt nach irgendeinem Schild von Adnans Partei. Aber ich sah keines. Alle religiösen Parteien hatten ein eigenes Büro eingerichtet, in einer Schule, in einem alten Verwaltungsgebäude oder in einem einfachen Geschäft. Einige hatten die Häuser der ehemaligen Generäle und Polizisten umfunktioniert. Adnan und seine Kommunisten waren nirgends zu finden. Erst am Abend erzählte mir Jasim, sie seien im Großen Basar.

Als ich am nächsten Tag dorthin kam, konnte ich kaum glauben, wie die Parteien und Organisationen den Basar aufgeteilt hatten. Er bestand aus drei Gängen: die Fleischabteilung, die Lebensmittel- und Gemischtwarenabteilung sowie die Obst- und Gemüseabteilung. Die Kommunisten waren in einem Geschäft der Letzteren zu finden. Verschiedene schiitische Parteien hatten einige Stände in der Fleischabteilung okkupiert. Die anderen, kleineren Gruppierungen sammelten sich in der Lebensmittel- und Gemischtwarenabteilung. Und trotzdem gab es immer noch jede Menge Geschäfte, die wie eh und je ihre Waren verkauften. Scharenweise waren Leute unterwegs, um einzukaufen oder die Parteibüros aufzusuchen.

Als ich das Büro der Kommunisten erreichte, saßen zwei Männer an einem Tisch. Sie beachteten mich überhaupt nicht. Ich klopfte an die Tür und war schon versucht zu sagen: »Entschuldigen Sie, ich hätte gern zwei Kilo kommunistische Tomaten und sozialistische Frühlingszwiebeln!«, verkniff es mir aber dann doch.

»Ja, bitte«, sagte der eine mit einem fröhlichen Gesicht.

»Ich suche Adnan. Ist er da?«

Als der Mann mich nach meinem Namen fragte und ich mit »Mahdi« antwortete, erkannte er mich sofort. »Mahdi Hamama! Adnan hat viel von dir erzählt. Er hat sich schon gedacht, dass du nach ihm suchen würdest. Ich bin Abu-Walid, sein Freund.«

Abu-Walid ließ mich am Tisch Platz nehmen und bat seinen Genossen, uns aus dem Teehaus im Basar Tee zu bringen. Er erzählte mir, Adnan sei mit einigen Männern, die Englisch sprachen, zu den Amerikanern gegangen, um sie davon zu überzeugen, den Aufstand zu unterstützen. Bevor er weitererzählte, tauchte ein Junge mit zwei Gläsern Tee auf und stellte sie auf den Tisch. »Der Parteigenosse ist in die Stadt gegangen. Er hat mich gebeten, dir das zu bringen.«

»Danke!«, sagte Abu-Walid, schlürfte langsam seinen Tee und schaute mich interessiert an.

»Wie fühlst du dich jetzt?!«

»Es geht.«

»Mit wem arbeitest du?«

»Arbeit?«

»Ich meine, mit welcher Partei?«

»Mit keiner.«

»Dann brauchst du einen Ausweis!«

»Ich habe einen.«

»Von wem?«

»Freunde aus meinem Viertel.«

»Darf ich ihn sehen?«

Als Abu-Walid ihn anschaute, fing er an zu lachen. »Adnan hat mir erzählt, dass du nicht religiös bist.«

»Stimmt!«

»Aber dein Ausweis ist von einer islamischen Partei ausgestellt worden.«

»Woran siehst du das?«

»Der Stempel. Schau genau hin! Es ist kaum zu lesen: die Islamische Dawa Partei.«

Ich musterte den Stempel gründlich, konnte aber die Schrift nicht richtig entziffern.

»Mir scheißegal. Hauptsache, der Aufstand wird unterstützt. Später kann man sich ja immer noch entscheiden, ob mit dieser Partei oder mit einer anderen. Oder auch mit gar keiner.«

»Wenn du meinst! Was sagen denn deine Freunde zur momentanen Lage? Ich meine diejenigen, die dir den Ausweis gegeben haben.«

»Es gibt nichts als Gerüchte. Täglich hört man Hunderte davon. Ich glaube, es gibt kein anderes Volk, das Gerüchte so leidenschaftlich verbreitet wie die Iraker. Eine schier märchenhafte Kommunikation.«

Abu-Walid lächelte verschmitzt: »Da hast du völlig recht. Trotzdem, was sagen sie?«

»Seit ich da bin, höre ich jeden Tag etwas anderes. Die Amerikaner und die anderen westlichen Staaten sagen dieses, die Araber und Iraner jenes. Das letzte Gerücht besagt, ein großer Saudi-Minister habe im Radio verkündet, sie würden niemals

Schiiten im Irak regieren lassen. Ein Feind, den sie kennen, sei immer noch besser als ein Freund, den sie nicht kennen.«

Abu-Walid lachte, als er diesen Satz hörte: »Das ist eine interessante politische Weisheit! Aber kein Gerücht. Ich habe es selbst im Radio gehört. Die Saudis sind bereit, Saddam zu unterstützen, gegen das ganze irakische Volk.«

»Wieso?«

»Schwer zu erklären, ich versteh das auch nicht. Dieser Hass zwischen Iranern und Arabern verhindert jede vernünftige Lösung. Das ist immer schon so gewesen. Das Problem ist nur: Wir Iraker stehen genau dazwischen. Auf der einen Seite die sunnitischen Araber, auf der anderen die schiitischen Iraner. Im Verlauf der Geschichte mussten wir ständig in diesem Zwist leben. Früher, im Osmanischen Reich, haben wir ein ähnliches Dilemma erlebt: sunnitische Türken und Araber gegen schiitische Perser. Ich weiß wirklich keine Lösung für dieses Problem.«

»Aber ...«

»Man denkt, weil viele Iraker Schiiten sind wie die Iraner, regieren die Iraner nun im Irak. Es ist ein irakischer Aufstand! Und was heißt da schon Schiiten oder Sunniten? Ich bin Schiit, Adnan Sunnit. Und beide sind wir Kommunisten.«

»Ich würde sagen ...«

»Glaub mir! Solche Behauptungen von Politikern der Nachbarländer oder des Westens können alles zerstören. Und wenn die Amerikaner so neutral reagieren, wie sie sagen, dann heißt das, dass sie kein Problem damit haben, wenn Saddam an der Macht bliebe.«

»Und was wäre, wenn die Saudis und die Amerikaner Saddam nicht unterstützten? Wenn Saddam keine Erlaubnis der Amerikaner hätte, würde er seine Armee niemals zu uns schicken können. Oder?«

»Das ist Politik! Alles ist möglich! Wir werden sehen.«

Wir tranken unseren Tee und redeten sehr viel, nur über Politik. Mittags wollte ich nach Hause und verabschiedete mich von Abu-Walid. Als ich das Büro verließ, rief er mir nach: »Wenn du Lust hast, kannst du bei uns mitarbeiten.«

»Danke! Ich werde es mir überlegen. Bis bald!«

Auf dem Heimweg spürte ich die lähmende Angst in mir, alle Hoffnungen könnten untergehen.

* * *

Mehr als eine Woche war vergangen. Ich tat kaum etwas, außer tagsüber meiner Aufgabe im Viertel nachzugehen. Innerhalb einer Woche schaute ich nur kurz bei Laila und einmal bei Abu-Walid vorbei. Mit meinen Wachkameraden zu plaudern, hatte ich nicht viel Lust, weil sie nur über die zukünftige islamische Regierung redeten. Was aber unerträglich war in dieser Zeit, waren die Gerüchte, die sich tagtäglich vermehrten. Die Armee sei da und die Alliierten hätten dies und das gesagt. Täglich hörte ich etwa zehn unterschiedliche Versionen desselben Themas.

Aber eines Tages wurden die Leute plötzlich aufgeregt. Und nach diesem Tag hatten wir 48 Stunden nichts anderes zu tun, als jeden auf der Straße zu kontrollieren, den wir nicht kannten. Wir mussten ja Verräter und Spitzel herausfischen, die sich angeblich unter uns befanden.

Es war Freitagmittag. Zum Zeitpunkt des Freitagsgebets hatten sich viele Aufständische in der großen Imam-Ali-Moschee eingefunden. Als der Gebetsrufer durch den Lautsprecher verkündete: »Gott ist groß«, hockte ich gerade am Tisch eines Teehauses gegenüber der Moschee und überwachte die Straße. Zeitgleich mit dem Beginn des Gebetsrufs erblickte ich einen Kampfhubschrauber am Himmel. Er flog ungewöhnlich schnell und auffällig niedrig. Ich hielt ihn für einen der Alliierten, die ab und zu über die Stadt flogen. Erst später habe ich erfahren, dass er der irakischen Regierung gehörte. Aus diesem Hubschrauber, hieß es, sollte sich ein Sondereinsatzkommando auf das Dach des

Krankenhauses abseilen und den Kommandierenden General der irakischen Südtruppen befreien, den die Aufständischen zu Beginn der Revolte verwundet und festgenommen hatten. Die Soldaten des Sondereinsatzkommandos töteten zwei Wärter und verletzten einige andere. Letztlich gelang ihnen mitsamt dem General die Flucht über den Luftweg.

Deswegen also mussten wir nun die Augen besonders gut offen halten. Jeder sprach nur noch von Verrätern und Spitzeln, die sich unter uns befänden und die Regierung in Bagdad über den Aufenthaltsort des Generals informiert hätten.

Am Tag der Befreiungsaktion herrschte ein unüberschaubares Chaos in der Stadt. Die Aufständischen forderten die Leute auf, daheim zu bleiben. Nach Einbruch der Dunkelheit durften nur noch die Aufständischen auf den Straßen sein. Jeden, der sich noch draußen herumtrieb, mussten wir verhaften und in die zum Gefängnis umfunktionierte Grundschule bringen. Doch keiner der Verräter wurde festgenommen.

Meine Aufgabe, die ich vorher nur tagsüber zu erfüllen hatte, wurde auf die Nacht ausgedehnt. Folglich verbrachte ich Tage und Nächte auf der Straße und schlief nur sehr wenig, höchstens zwei Stunden am Tag.

Nach zwei Nächten nahm die Aufregung deutlich ab, die Gerüchte allerdings im gleichen Maß zu. Saddams Armee sollte bereits auf dem Weg zu uns sein. Trotzdem freute ich mich in dieser Nacht auf mein Bett.

Als ich abends völlig erschöpft das Haus betrat, rannte Shaker auf mich zu. »Die irakische Armee marschiert gegen uns auf. Das hat Radio Monte-Carlo gemeldet. Und Radio London.«

Ich ging ins Wohnzimmer. Jasim lag auf der Couch, in den Händen einen Radioapparat, und versuchte einen vernünftigen Sender einzustellen.

»Stimmt das? Die Armee ist unterwegs?«

»Ja«, murmelte er, ohne mich anzuschauen.

»Wo sind sie genau?«

»Bald werden sie in Kut sein.«

Ich ging ins Dachzimmer und dachte: Kut liegt nur fünfzig Kilometer von Nasrijah entfernt.

* * *

Zufällig wird man erwachsen, hatte ich festgestellt, als ich den ersten Tag des Verhörs im Knast erlebte. Aber im März des unbeschreiblichen Jahres 1991 musste ich meine Erkenntnis erweitern: »Zufällig wird man erwachsen oder ein Fremder.« Zufällig wurde ich Anfang März von den Aufständischen aus der Haft befreit, und schon am Ende desselben Monats war ich von einer Sekunde auf die andere ein Fremder im eigenen Land. Nicht nur ich, sondern Tausende von Menschen. Erstaunlich, wie schnell das ging.

Wenn ich mich nicht irre, war es ein Montag. Frühmorgens erreichte uns die Nachricht, die irakische Armee bewege sich auf Nasrijah zu. Die Stadt Kut sei bereits gefallen, die kleinen Städte und Gemeinden zwischen Kut und Nasrijah ebenfalls. Die irakische Armee, die Sonderkommandos, der militärische Geheimdienst und die Sicherheitspolizei sollten die Aufständischen festgenommen, ohne Prozess hingerichtet und dann massenweise in der Wüste vergraben haben.

Diese Nachrichten verursachten Panik unter den Widerstandskämpfern, die zu verhindern suchten, dass die Zivilbevölkerung von diesen Vorgängen erfuhr. Aber die Gerüchte schwelten wie Glut unter der Asche und vermehrten sich wie Ratten. Einer behauptete, die Armee sei noch gar nicht unterwegs. Ein anderer, sie sei bereits in wenigen Stunden bei uns. Auch mit Hilfe des Radios konnte man sich nicht zuverlässig informieren. Denn selbst die Nachrichten widersprachen sich.

Abends gegen 20 Uhr unterbrach ich meine Wache für eine kleine Pause. Ich sollte auch diese Nacht auf den Straßen patrouillieren, so lautete der Befehl. Nach dem Abendessen saß ich mit Jasim im Wohnzimmer. Wir tranken Tee und hörten die Nachrichten im Radio. Dem Sprecher von Radio Monte-Carlo wollten wir nicht glauben, dass die irakische Armee tatsächlich schon auf dem Weg zu uns war. Der Tonfall des Berichts klang aber überzeugend und ernst. Onkel Jasim drehte am Senderwahlknopf, richtete die Antenne nach Westen aus und versuchte, eine andere Welle einzufangen. Bestürzt schaute er mich an und konnte den Satz nicht zu Ende sprechen: »Die Medien und ihre Spiele …« Plötzlich begann ein gewaltiges Beben, unter dem die Erde zitterte.

Es folgten ungeheuer starke Explosionen. Wir hörten nur das Geschrei der Menschen und das Krachen der Raketen und Bomben, die auf die Häuser herabfielen. Erst vereinzelte und dann immer mehr.

Jasim reagierte schnell, versammelte die Kinder in der Küche und hockte sich mit ihnen auf den Boden. Ich blieb völlig überrascht im Wohnzimmer stehen. Hamida packte mich am Arm und zog mich ebenfalls in die Küche. Sie setzte sich zwischen die Kinder und begann laut Verse aus dem Koran vorzutragen. Sie versuchte, jedes ihrer Kinder an sich zu ziehen und beschützend die Arme um sie zu legen, und schaute Jasim und mich angsterfüllt an.

»Das ist das Ende!«, flüsterte Jasim mir ins Ohr.

Ich sagte kein Wort. Blickte zu Boden und blieb stumm. Nach mehreren Detonationen hörte ich draußen ein paar Stimmen: »Gott ist groß, holt eure Gewehre und schützt eure Kinder und Frauen!« Eine andere Stimme quäkte aus dem Lautsprecher: »Alle Aufständischen an die Front! Wir haben die Armee gestoppt. An die Front! Kämpft für euren Gott, euer Land und eure Ehre!«

Ich legte meine Hand an die Pistole. Doch Jasims Hand legte sich sofort auf meine: »Sei nicht dumm!« Er sah mich ernst an.

»Sie werden mich umbringen, wenn sie mich festnehmen!«

»Ich weiß, aber du gehst jetzt nicht an unsere Front, sondern zu den ausländischen Truppen. Sie lagern in der Oase. Am südlichen Rand der Stadt. Du kannst nicht mit einer Waffe umgehen. Und selbst wenn du es könntest, würde es dir nichts helfen. Die haben Raketen, Bomben und eine richtige Armee. Hörst du? Ich höre auch Hubschrauber. Es ist vorbei. Rette wenigstens deine Haut!«

Jasim gab Hamida ein Zeichen. Sie stand schnell auf, rannte ins Schlafzimmer, kehrte nach ein paar Sekunden zurück und legte mir eine Menge Geldscheine in die Hand. »Nicht viel. Aber du wirst sie brauchen!« Ihre Stimme zitterte und Tränen liefen über ihre Wangen.

Wortlos stand ich auf, steckte das Geld in die Hosentasche, entsicherte meine Pistole, schaute kurz in die Gesichter, in denen Angst und Verwirrung zu lesen waren, und wollte Jasim umarmen. Er aber klopfte mir mit der Hand auf die Schulter und schob mich zur Tür. »Geh! Kein Abschiedsdrama!« Und klopfte noch einmal, aber fester. »Geh jetzt! Und schau nicht zurück!« Ich drehte mich um, erreichte die Haustür. Öffnete sie vorsichtig und rannte los.

Fünfzehntes Kapitel

Flucht

1991

Wie ich den Angriff überlebt habe, weiß ich selbst nicht so genau. Ich erinnere mich nur, dass ich panisch gerannt bin. Der dunkle Himmel, vom Licht der Sterne, des Mondes, der Leuchtfeuer und der Hubschrauberscheinwerfer durchflutet, ließ Raketen und Bomben, Feuer und Rauch regnen. Eingestürzte Häuser umklammerten die Erde und pressten sie zusammen. Schreie aus allen Himmelsrichtungen. Schluchzende Frauen, die vor ihren Toten kauerten, sich ins Gesicht schlugen und wehklagten. Die Menschenmasse taumelte wirr in alle Richtungen, Kinder, Frauen und Männer. Einige stürzten getroffen zu Boden.

Und ich? Rannte weiter. Mein Herz pochte wie ein Trommelwirbel. Im Kopf nur den Vorsatz, die Oase zu erreichen. Keine Ahnung, wie lange es gedauert hatte, bis ich an den südlichen Rand der Stadt gelangt war. Eine Stunde vielleicht? Mehr? Oder doch weniger?

Als ich mich unter einem Baum niederließ, entdeckte ich Scharen von Menschen. Hunderte, die Richtung Süden marschierten. Einige waren verletzt und wurden getragen. Andere hatten Megafone in der Hand, liefen am Rande der Menge entlang und riefen: »Weiter! Nicht stehen bleiben. Weiter!« Trotzdem blieb ich auf meinem Platz sitzen. Ich war erschöpft, konnte kaum mehr richtig atmen und starrte fassungslos auf das allgemeine Chaos. Die Stadt in der Ferne brannte. Immer noch schlugen Raketen ein. Immer noch drangen Schreie und Schüsse an mein Ohr. Ich dachte an Jasims Familie. Wären sie doch nur mit mir geflohen!

Plötzlich tauchten Bewaffnete auf, ihre Kleider blutverschmiert. Einer rannte auf den Mann mit dem Megafon zu, redete heftig gestikulierend auf ihn ein und nahm ihm das Gerät aus der Hand. »Hört alle zu! Die Aufständischen versuchen, die Armee zu stoppen. Die östliche Seite der Stadt haben wir verloren. Die Truppen sind nun sehr nah. Aber mehr als vier Stunden können wir sie nicht mehr aufhalten. Ihr habt nur noch wenig Zeit, um zu fliehen. Geht weiter zu den Alliierten oder zur Grenze!«

Der Soldat kehrte mit den anderen in die Stadt zurück. Diese Männer wissen genau, dass sie gegen eine richtige Armee keine Chance haben, dachte ich. Trotzdem gehen sie in den Kampf. Im selben Augenblick durchbrach eine herannahende Rakete meine Gedanken. Sie schlug etwa hundert Meter von mir entfernt zwischen einigen Bäumen ein. Ich warf mich flach auf den Boden und starrte auf eine Gruppe von Palmen, die wie Fackeln brannten. Einige waren bereits völlig verkohlt. Die Menge drängte panisch vorwärts. Ich rappelte mich hoch und stolperte hinterher.

Die Flüchtlinge liefen Richtung Oase. So nannte man die Gegend im Süden der Stadt, weil es dort Bäume und Brunnen gab. Dort lagerten die amerikanischen Soldaten. Wir marschierten auf einer langen Asphaltstraße. Nur einige Autos mit Familien fuhren an uns vorbei. Oder Esels- und Pferdekarren, ebenfalls mit Familien, die zusammengepfercht auf den Ladeflächen kauerten.

Nach einer halben Stunde Marsch konnte ich den Kampflärm aus der Stadt fast nicht mehr hören. Bevor wir die Oase erreichten, unterhielten sich zwei alte Damen neben mir. Eine meinte optimistisch: »Die Alliierten und die Amerikaner haben bestimmt alles gehört. Sie werden uns helfen.«

»Oder sie haben es nicht gehört!«, erwiderte die andere skeptisch. »Mein Sohn hat mir erzählt, sie tragen immer so komische Dinger in den Ohren. Er hat vor einigen Tagen fremde Soldaten in der Oase gesehen. Sie besitzen ein Gerät zum Musikhören. Sie nennen es Discman oder so ähnlich. Dazu singen sie dann meistens, sagt mein Sohn!«

Wir fanden die ausländischen Truppen in der Oase unter der großen Brücke. Und tatsächlich trugen fast alle von ihnen Kopfhörer auf den Ohren. Als die Soldaten uns sahen, sprangen sie aus ihren Wagen und Panzern, richteten vorsorglich ihre Waffen auf uns und fragten nach Personen, die Englisch konnten. Ich befand mich weit entfernt von dem amerikanisch-irakischen Gespräch. Wie ich später erfuhr, erklärten die alliierten Soldaten, sie könnten ohne Befehl nichts unternehmen. Und sie hätten keinen Befehl. Wir müssten selbst einen Ausweg finden. Sie begannen zu telefonieren. Dann packten sie ihre Ausrüstung zusammen, stiegen in ihre Fahrzeuge und fuhren los. Die Leute rannten hinterher und schrien: »Help, please!« Doch die Soldaten zogen ab. Zwar nicht schnell, aber unaufhaltsam. Aus ihren rollenden Fahrzeugen warfen sie massenweise Beutel. Einen davon bekam ich in die Hände und öffnete ihn. Zum Vorschein kamen Brot, Wurst, Schokolade, Zündhölzer, Kaugummi, Plastikbesteck und ein Taschentuch. Die Leute fanden schnell einen Namen für das eigenartige Päckchen: »Amerikanische Wundertüte«.

Nachdem ich den Inhalt dieser Amerikanischen Wundertüte genauestens inspiziert hatte, schaute ich mich nach den Soldaten um. Doch sie waren weg. Spurlos in der Wüste verschwunden.

Einer der Flüchtlinge forderte uns per Megafon auf, die Wüstenstraße Richtung Basra zu nehmen. Dort gäbe es ein großes Lager der Alliierten. 200 oder 250 Kilometer lägen noch vor uns. Ein anderer unterbrach ihn: »Nein! Wir müssen Richtung Smaua. Der Weg ist sicherer.« Also teilte sich die riesige Menschenmenge mitten in der Wüste plötzlich auf. Gruppe Basra und Gruppe Smaua. Ich ließ meinen Blick von der einen Gruppe zur anderen schweifen. Und schloss mich, ohne länger darüber nachzudenken, derjenigen an, die Basra anvisierte.

* * *

Der Wind wehte empfindlich kalt. Dazu war es stockdunkel in der grauen Wüste. Keiner der vielen Flüchtlinge hatte beim Verlassen seines Hauses an eine Taschenlampe gedacht. Trotz der Dunkelheit gelang es uns, zumindest den Weg zu finden, dank der Sterne, die uns leuchteten. Aber die unzähligen Sterne reichten nicht aus, diesen Weg gefahrlos gehen zu können. Die Angst vor unangenehmen Überraschungen wie Schlangen oder Spinnen stieg mit jedem zurückgelegten Meter, besonders unter den Frauen. Ich fühlte mich insgesamt sicherer als vorher, weit weg von den Geschossen und Raketen.

In die Wüste hatte ich mich eigentlich noch nie vorgewagt. Ich kannte mich in dieser weitläufigen Landschaft überhaupt nicht aus, hatte sie bisher nur aus der Ferne gesehen. Durch die Fenster der Busse, wenn ich auf Reisen war, hatte ich eingehend die gewaltigen Sandmengen betrachtet und gedacht, dahinter könne es gar keine Welt mehr geben, unter diesem unendlich großen gelben Betttuch. Meine Mutter hatte einmal gesagt: »Die Wüste ist ein Friedhof. Sie nimmt alles und gibt nichts zurück.« Tief in meinem Inneren beschlich mich das mulmige Gefühl, diesen unzähligen Grabhügeln niemals wieder entkommen zu können.

Doch plötzlich sahen wir etwas. Es war keine Oase, sondern eine große Befestigungsanlage. Sie befand sich direkt vor uns, eine verlassene Militärstellung. Es gab dort einige Hunde, die zwischen ein paar vertrockneten Leichen immer noch nach Fleisch suchten. Und überall lagen zerlumpte Uniformen sowie jede Menge zerstörter Auto- und Panzerteile herum. Bestimmt ein irakischer Posten aus dem Krieg, dachte ich. Ich hoffte in diesem Moment inständig, diese Wüste möge mich auf der Stelle ausspucken und ich an irgendeinem anderen Ort wieder zu mir kommen. Doch leider tat sie das nicht, und ich murmelte das treffende Wort meiner Mutter vor mich hin: Friedhof.

Die Flüchtlinge waren sich jetzt nicht mehr einig. Einer forderte durch sein Megafon, man solle weitergehen. Ein anderer schlug vor, hier zu übernachten. Was sollte ich tun? Ich war hundemüde. Am liebsten wollte ich mich einfach nur irgendwo hinhocken und die Beine von mir strecken. Die meisten Flüchtlinge stapften unbeirrt weiter durch den Sand. Nur wenige blieben wie ich stehen. Ein alter Mann neben mir fragte: »Bist du allein hier?

»Ja.«

»Dann komm mit. Wir bleiben heute hier. Morgen macht Gott, was er für richtig hält.«

Der Alte, der Abu-Hady hieß, hatte eine große Familie dabei, nur Frauen und Kinder. Er und seine Familie suchten sich zielstrebig einen Raum in der verlassenen Militärstellung, reinigten notdürftig den Boden, sammelten ein paar Decken auf, die genauso herumlagen wie Leichen und Klamotten, und machten es sich bequem, so gut es ging. Abu-Hady wandte sich von seiner Familie ab, kam zu mir und drückte mir eine Decke in die Hand. »Es ist kalt. Du brauchst sie heute.«

»Danke! Gehörte welcher Leiche?«

»Hoffentlich nicht unserer!«

Wir legten uns auf den Boden gegenüber dem Raum, in dem sich die Frauen und Kinder niedergelassen hatten. Wir schwiegen und betrachteten die Umgebung. Ich musterte den Alten an meiner Seite. Er wirkte sehr alt, war aber kräftig. Ich konnte nicht einschätzen, wie alt er tatsächlich war. Aber er verriet es mir bald:

»Ich weiß nicht, ob sie die richtige Entscheidung getroffen haben«, sagte er über diejenigen, die weitergegangen waren. »Aber in der Wüste verliert der Mensch schnell seine Geduld. Nur ein Kamel nimmt das mit Gleichmut hin und verliert auch nicht die Orientierung. Wir aber sind keine Kamele! Wir kennen uns in der Stadt gut aus, aber nicht in der Wüste. Wir sind eben nur Menschen. Oder? Ich bin inzwischen fünfundsechzig Jahre alt. Und immer wieder treten Ereignisse ein, die mich fast davon überzeugen, dass wir gar keine Menschen sind. Höchstens Gäste. Einzigartige Gäste aus dem Nichts.«

»Einzigartige Gäste aus dem Nichts sind wir«, wiederholte ich den letzten Satz. »Sehr schön ausgedrückt. Was machen Sie beruflich?«

»Ich bin ein einfacher Bauarbeiter. Mein eigenes Haus steht nun ohne Wände da. Vielleicht auch ohne Türen. Vielleicht steht überhaupt kein Haus mehr. Nur noch eine Ruine. Die Bombe hat alles verwandelt. In ein göttliches Chaos. Ich bin jetzt ein perfekter Bauarbeiter! Ohne Haus!«

»Schlaf endlich!«, unterbrach eine weibliche Stimme aus dem

Raum nebenan das vertrauliche Gespräch. »Lass den Jungen in Ruhe. Er muss auch schlafen.«

»Das ist meine Frau. Lass uns schlafen! Sie hat recht.«

Ich konnte nicht schlafen. Mein ganzes Leben strich vor meinen Augen vorüber. Es schien wie ein Albtraum. Und nun war ich ein Fremder im eigenen Land. Floh zu den Ausländern, die noch vor einigen Monaten meine Landsleute getötet und uns erst vor einigen Stunden unserem Schicksal überlassen hatten! Ich hatte fürchterliche Angst. Ob wir tatsächlich die Grenze erreichen würden? Und die anderen? Was mochten sie gerade tun? Lebten sie überhaupt noch?

Ich sehe Rosa aus der Ferne kommen. Sie ist nicht allein. Meine Mutter ist bei ihr, ebenso Jack, Vater, Ali, Adnan, Said und Shruq. Da sind auch Sami und Razaq. Jasim, Laila und Hamida. Sie kommen direkt auf mich zu. Warum erreichen sie mich nicht? Wieso verschwinden sie im Wüstensand?

Eine Hand riss mich aus dem Schlaf. »Steh auf!«

Es war Abu-Hady.

»Was ist los?«

»Ich gehe jetzt. Bleib du hier! Wenn die anderen wach sind, sag ihnen, ich komme bald wieder!«

»Ja, aber wohin willst du? Du lässt mich hier allein mit so vielen Frauen und Kindern?«

»Vertrau mir!«

Nach einigen Sekunden war er hinter den Militärgebäuden verschwunden. »Was für ein Mist!«, murmelte ich, blieb liegen und hoffte auf seine baldige Rückkehr.

Ich konnte noch immer nicht schlafen. Die ersten Strahlen der Morgensonne hellten langsam den Himmel auf. Ich hörte einen, der das Rufgebet des Morgens sprach. Er hatte eine schöne Stimme. Irgendwie geheimnisvoll, das Rufgebet in der Wüste. Aber der helle Morgen bot mir ein anderes Bild, das ich lieber nicht gesehen hätte: ein Schlachtfeld, unzählige Leichen, Knochen und Schädel. Einzelne Körperteile, zum Teil noch bekleidet. Ich schaute nach der Familie. Sie schliefen noch. Also schloss auch ich meine Augen wieder, bis mich eine tiefe Stimme weckte: »Du schläfst noch?«

»Abu-Hady! Gott sei Dank!«

»Wir müssen jetzt los.«

Er ging ins Zimmer, weckte alle mit nur einem Wort: »Schnell!«

Wenige Minuten später standen sie alle da. »Hört mir zu!«, begann er. »Wir gehen jetzt eine halbe Stunde zu Fuß. Dort wartet ein Lastwagen auf uns. Mit dem können wir weiterfahren.«

»Warum kommt der Fahrer nicht hierher?«, fragte die Ehefrau.

»Was für eine schlaue Frage! Dann wollen alle anderen auch mit. Wir können aber nicht alle mitnehmen. Der Lastwagen hat nicht Platz genug für alle. Also los!«

Ich ging mit Abu-Hady vorneweg, die Familie hinter uns her. Ich war verblüfft und konnte mir wirklich nicht vorstellen, wie und wo er einen Lastwagen aufgegabelt haben wollte. »Ich dachte mir«, erklärte Abu-Hady, »wenn da eine Militärstellung ist, dann muss auch ein Dorf in der Nähe sein. Vielleicht sogar eine Landstraße. Also habe ich mich wie eine neugeborene, blinde Katze vorgetastet und hatte Glück. Ich fand die Landstraße und das Dorf, ein sehr kleines Dorf. Dort suchte ich nach einem Fahrzeug, bis ich einen Lastwagen fand. Im Haus gegenüber klopfte ich an die Tür. Es war das Haus des Fahrers, mit dem habe ich verhandelt, und er wartet auf uns.«

»Wie viel verlangt er?«

»Sehr viel. Alles, was ich habe. Aber um meine Familie zu retten, bin ich bereit, alles zu opfern.«

Ich wollte keine weiteren Fragen stellen. Bestimmt ging es um mehrere tausend Dinar. Ich wollte auch nicht fragen, warum er mit der ganzen Familie geflohen war. Bestimmt hatte er an den Aufständen teilgenommen. Und vermutlich Söhne oder Brüder verloren, denn er und alle Frauen der Familie trugen schwarze Trauerkleider.

»Wohin geht die Reise?«, fragte ich beinahe schon scherzhaft.

»Zu den Alliierten an die Grenze. Der Fahrer kennt den Weg.«

Nach weniger als einer halben Stunde Fußmarsch erblickten wir tatsächlich den Lastwagen und die Landstraße. Sonst nichts weit und breit. Der Fahrer, ungefähr dreißig Jahre alt, rief uns nervös zu: »Schnell, bitte!«

Abu-Hady stieg zu ihm ins Führerhaus, ich landete mit den Frauen und Kindern auf der Ladefläche, die keine Plane hatte. Der Fahrer, der offensichtlich Erfahrung mit Flüchtlingstransporten hatte, reichte uns ein paar weiße Flaggen und instruierte uns, damit in der Luft herumzuwedeln, wenn wir Flugzeuge oder Panzer sähen.

Der Lastwagen fuhr an. Die Sonne brannte. Der heiße Wind führte Sand mit sich. Die Frauen versuchten, mit ihren Schleiern und Kleidern die Kinder vor dem fliegenden Sand zu schützen, doch der Sandsturm war einfach zu stark, und der Lastwagen fuhr schnell. Meine Lippen trockneten aus, und Durst quälte mich. Wir fuhren in eine kleine Nebenstraße, wo man sogar ein paar Palmen entdecken konnte. Der Wagen hielt vor einem kleinen Bach. Wir durften schnell aussteigen, um Wasser zu trinken, mussten aber ebenso schnell wieder einsteigen.

Später tauchten vier Militärfahrzeuge auf. Schwer bewaffnete alliierte Soldaten schauten zu uns herüber. Wir hielten unsere weißen Flaggen hoch. Sie kamen näher, fuhren dann aber gleich weiter.

Der Autoverkehr wurde reger. Familien in Bussen, Lkws oder Taxis, mit Pferde- oder Eselsfuhrwerken.

Ein Flugzeug tauchte über uns auf. Wir winkten wieder mutig mit unseren weißen Flaggen. Es zog einige Kreise und kehrte um.

Dann kam eine ganze Horde von Panzern. Einer fuhr direkt neben uns her, als wolle er uns begleiten. Der Soldat, der oben aus dem Ausguck herausschaute, hatte seine Waffe auf uns gerichtet. Erneut griffen wir zu den weißen Tüchern und wedelten damit herum.

Der Panzer drehte ab und ratterte zurück zu den anderen Wagen. Plötzlich blieben wir stehen. Vor uns an die sechzig Wagen. Ein Stau? Unser Fahrer stieg aus. Abu-Hady ebenfalls. »Aussteigen. Wir sind angekommen. Ab hier gibt es nur noch Alliierte«, erklärte der Fahrer. »Sie werden euch in ein Flüchtlingslager bringen. Ich wünsche euch viel Glück!«

Abu-Hady bedankte sich bei ihm. Der Fahrer stieg sofort wieder ein und machte sich auf den Rückweg.

Wir gingen langsam in Richtung der ausländischen Soldaten. Vor uns viele andere Familien.

Vor dem Kontrollpunkt stand ein Soldat. »Ihr seid in Sicherheit«, begrüßte er uns in seinem ägyptischen Dialekt. Er wollte unsere Namen wissen. Ein anderer Soldat mit einem Turban auf dem Kopf saß an einem kleinen Tisch und notierte sie in ein dickes Heft. Dann empfing uns ein anderer mit einem ermunternden »Hallo!«. Er war blond und blauäugig und reichte jedem von uns eine Amerikanische Wundertüte, einen Apfel und eine Orange. Ich blieb stehen und betrachtete die Orange. »Hast du noch nie eine Orange gesehen?«, fragte Abu-Hady.

»Orangen sind seltsam.«

»Seltsam?«

»Ich erzähle dir später davon!«

Schließlich verließen wir den Kontrollpunkt. Wir erblickten Tausende von Menschen, Zelten und Soldaten. »Das muss das Flüchtlingslager sein«, sagte ich.

»Vielleicht«, antwortete Abu-Hady.

Er legte seine Hand auf meine Schulter. »Weißt du was?«

»Was?«

»Obwohl ich sehr glücklich bin, meine Familie in Sicherheit gebracht zu haben, will ich eigentlich nur auf alles spucken. Auf die Heimat. Auf die Baathisten. Auf Amerika. Auf die Araber. Auf die Alliierten. Auf die ganze Menschheit. Und auf Gott, den Faulen, der seinen Hintern nicht hochkriegt.«

»Lass uns das am besten gemeinsam tun!«

Wir spuckten auf den Boden und setzten unseren Weg fort.

Abbas Khider bei Nautilus

Abbas Khider
DER FALSCHE INDER / Roman
Originalausgabe / Gebunden / 160 S. / ISBN 978-3-89401-576-3
Rasul Hamid flieht aus dem Irak. Seine jahrelange Odyssee führt ihn, den jeder fälschlich für einen Inder hält, über Jordanien, Libyen, Tunesien, die Türkei, Griechenland und Italien nach Deutschland.
»Mit der hilfreichen Distanz, die eine neue Sprache vermittelt, mit seinem facettenreichen Humor als Überlebensmittel und dem Formbewusstsein des Lyrikers ist Abbas Khider ein außergewöhnlicher Roman gelungen.« Aus der Laudatio von Hubert Spiegel anlässlich der Verleihung des Adelbert-von-Chamisso-Förderpreises 2010.
»Was für ein tieftrauriges Buch, bei dem man über jede Seite glücklich ist … ein künstlerisches Kleinod.« Renée Zucker, RBB
»Khider verknüpft leichthändig, wie ein Möbiusband, Literatur und Leben miteinander.« Jörg Plath, Deutschlandradio Kultur

Abbas Khider
BRIEF IN DIE AUBERGINENREPUBLIK / Roman
Originalausgabe / Gebunden / 160 S. / ISBN 978-3-89401-770-5
Der Roman erzählt die Reise eines Liebesbriefs von Bengasi nach Bagdad im Jahr 1999. Ein illegales Netzwerk von Taxichauffeuren, Lastwagenfahrern und Reisebüros befördert heimlich Briefe von Exilanten und Verfolgten. Doch Saddams Geheimdienst weiß längst von diesem Netz und fängt die Sendungen ab. Abbas Khider hat mit seinem dritten Roman ein Tableau der arabischen Welt am Ende des 20. Jahrhunderts geschaffen.